Inhalt

Da sind wir wieder!

1. Ich über mich

Abiola
Benjamin
Carima
Jan
Magdalena
Serkan

1a Hör zu! Wie heißen sie?

1b Zu zweit. Jeder, der Reihe nach, wählt eine Person aus und beschreibt sie. Der/Die Partner(in) rät, wer er/sie ist.

	hat	blaue/braune/grüne/graue Augen Sommersprossen
Er/Sie		
	trägt	eine Brille/eine Mütze
Ihre/Seine Haare	sind	blond/braun/dunkel/rötlich

1c Gruppenspiel. Jeder wählt eine Person in der Klasse aus und schreibt drei Sätze über ihn/sie. Er/Sie liest die Sätze vor, und die anderen raten, wer es ist.

1d Memorykontrolle. Kannst du noch Beschreib dich.

Ich heiße …   Ich habe …
Ich bin …   Ich trage …
Mein/Meine … ist/sind …

Name Carima El-Sayed

Wohnort Braunschweig

Alter 13

Haar- und Augenfarbe braun, braun

Größe 1,65 m

Geburtstag 15.10.

Geburtsort Berlin

Besondere Kennzeichen —

Name Benjamin Reschke

Wohnort Linz (Österreich)

Alter 14

Haar- und Augenfarbe dunkelblond, blau

Größe 1,83 m

Geburtstag 22.7.

Geburtsort Wien

Besondere Kennzeichen —

2a Zu zweit. Was weißt du über Carima und Benjamin?

Er/Sie	heißt/hat	
	wohnt	in Braunschweig in Deutschland/in Linz in Österreich
	ist	... Jahre alt; sein/ihr Geburtstag ist am (fünfzehnten zehnten) (1 Meter 83)

2b Hör zu! Füll das Formular für sie aus. (1–4)

2c Zu zweit. Ordnet sie alle sechs ...

i dem Alter nach:

- ☐ Wer ist der älteste, und wer der jüngste?
- ☐ Wer ist älter als Carima, und wer ist jünger als Benjamin?
- ☐ Wer ist älter und wer ist jünger als du?

z.B. ... ist/sind als ich.

ii der Größe nach:

- ☐ Wer ist der größte, und wer der kleinste?
- ☐ Wer ist größer als Carima, und wer ist kleiner als Benjamin?
- ☐ Wie groß bist du?
- ☐ Wer ist größer und wer ist kleiner als du?

z.B. Ich bin ... groß. ... ist/sind ... als ich.

3 Interviewspiel. Interviewe einen Mitschüler oder eine Mitschülerin. Jeder Schüler bekommt einen „Personalausweis". Er/Sie muß jemanden interviewen und das Formular ausfüllen.

Ein neuer Personalausweis: du bist Herr ... oder Frau ...

NB Wie heißen die Fragen?

Duzen: Wie heißt du? Wo wohnst du?
Siezen: Wie heißen Sie? Wo wohnen Sie?

Zu Hause
Selbstporträt

Mein Name ist ... . Ich bin ... Jahre alt und ... m groß. Ich habe lange/kurze/lockige/wellige/glatte Haare. Ich wohne in ... . Ich bin am ... in ... geboren.

〰 Schreib noch vier Sätze dazu!

z.B. Ich habe/mache/spiele/habe ... gern.

2 ► Unsere Anschriften

1a Memorykontrolle.
Kannst du noch das Alphabet?

1b Zu zweit. Interviewe einen Partner/eine Partnerin.

> Wie heißt du mit Vornamen?

> Wie schreibt man das?

> Wie heißt du mit Nachnamen?

> Wie schreibst du das?

> Wo wohnst du?

> Wie buchstabierst du das?

Umlaut	ä ö ü
eszett	ß
doppel m	mm
Komma	,
Punkt	.
Bindestrich	-
groß	M
klein	m
fett	**m**
kursiv	*m*

1c Hör zu! Wo wohnen sie?

a Claudia   **b** Frau Zimmermann   **c** Jörg

d Natalie   **e** Herr Braun   **f** Torsten

2 Memorykontrolle. Die Zahlen. Zu zweit.

i. Lest die Zahlen abwechselnd:

a. Zehner	10, 20, 30, 40, 50, 60, 70, 80, 90, 100
b. Fünfer	5, 10, 15, 20, 25, 30, 35, 40, 45, 50
c. Neuner	9, 18, 27, 36, 45, 54, 63, 72, 81, 90, 99
d. die geraden Zahlen	0, 2, 4, 6, 8, 10, 12, 14, 16, 18, 20
e. die ungeraden Zahlen	1, 3, 5, 7, 9, 11, 13, 15, 17, 19, 21

Macht das Buch zu. Abwechselnd:

Sag deinem Mitschüler/deiner Mitschülerin, wie er/sie zählen soll:
z.B. **Zähl in Zehnern bis hundert/Fünfern bis fünfzig/Vierern bis vierzig! usw.**

ii. Lest abwechselnd die Zahl **a** oder **b** vor.
Der Partner/Die Partnerin schreibt die Zahlen auf.
Hat er/sie die richtige Zahl aufgeschrieben?

Partner A			
1a 14	**b** 40	**6a** 51	**b** 15
2a 18	**b** 80	**7a** 21	**b** 22
3a 57	**b** 75	**8a** 34	**b** 43
4a 17	**b** 77	**9a** 1965	**b** 1956
5a 13	**b** 33	**10a** 1986	**b** 1968

Partner B			
1a 12	**b** 20	**6a** 22	**b** 52
2a 15	**b** 50	**7a** 67	**b** 76
3a 11	**b** 1	**8a** 89	**b** 98
4a 94	**b** 49	**9a** 1987	**b** 1978
5a 36	**b** 63	**10a** 1995	**b** 1959

3a Hör zu! Wie ist ihre genaue Adresse?

Straße	Ortsteil	Stadt
Postleitzahl	Telefonnummer	Vorwahl

3b Zu zweit. Interviewe den Partner/
die Partnerin.

„Wie ist deine genaue Adresse, die
Postleitzahl, die Telefonnummer?"

3c Wer schreibt?

Wohnen sie da gern oder nicht? Warum?

1

Ich bin Deutscher. Ich wohne in Norddeutschland, in Niedersachsen, an der Küste, in der Nähe von Cuxhaven. Ich wohne hier nicht so gern, weil das Wetter nicht so gut ist.

2

Ich bin Bayerin. Ich komme aus Bayern in Süddeutschland. Ich wohne in einem kleinen Dorf im Süden, in der Nähe von Oberammergau. Ich wohne hier sehr gern, weil die Landschaft so schön ist.

3

Ich bin Österreicherin. Ich wohne in Tirol, in den Bergen, d.h., in den Alpen, im Westen von Österreich. Man nennt mich eine Tirolerin. Ich liebe die Berge.

4

Ich wohne in Düsseldorf. Das ist in Nordwestdeutschland, in Nordrhein-Westfalen. Das ist Industriegebiet. Hier wohne ich nicht so gern, weil es so viel Verkehr gibt.

5

Ich komme aus Österreich. Ich wohne in einem kleinem Dorf nicht weit von Linz. Was ich gut finde ist, man kommt schnell hinaus zum Skilaufen und Wandern.

6

Ich wohne in der Schweiz, in der Nähe von Luzern, fast in der Mitte der Schweiz. Ich bin Schweizer. Ich würde nicht gern woanders wohnen, hier ist die Landschaft so schön.

3d Wo wohnst du?

z.B. Ich wohne in Newcastle, in Nordengland. Man nennt mich ein Geordie.

Abkürzungen

z.B. (zum Beispiel) = *for example, e.g.*

bzw. (beziehungsweise) = *respectively/or, as appropriate*

d.h. (das heißt) = *that is, i.e.*

usw. (und so weiter) = *etc.*

Zu Hause

Nimm das Alphabet auf eine Kassette auf. Buchstabiere dazu deinen Namen und den Namen der Stadt, wo du wohnst. Gib deine genaue Adresse, Postleitzahl und Telefonnummer mit Vorwahl an.

3 ▸ Familienstammbaum

1a Zu zweit: Wie sind sie mit Jan verwandt?

z.B. Klaus ist sein Vater.

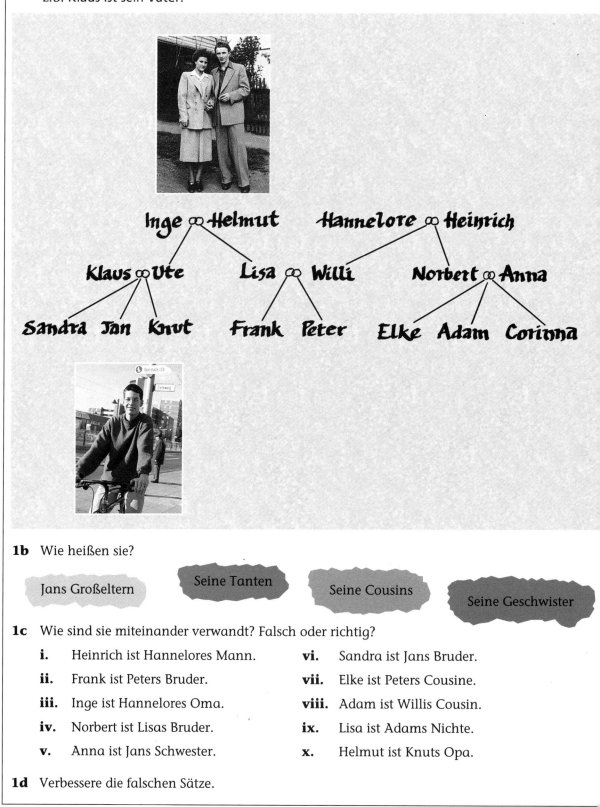

1b Wie heißen sie?

Jans Großeltern

Seine Tanten

Seine Cousins

Seine Geschwister

1c Wie sind sie miteinander verwandt? Falsch oder richtig?

i. Heinrich ist Hannelores Mann.

ii. Frank ist Peters Bruder.

iii. Inge ist Hannelores Oma.

iv. Norbert ist Lisas Bruder.

v. Anna ist Jans Schwester.

vi. Sandra ist Jans Bruder.

vii. Elke ist Peters Cousine.

viii. Adam ist Willis Cousin.

ix. Lisa ist Adams Nichte.

x. Helmut ist Knuts Opa.

1d Verbessere die falschen Sätze.

1e Zeichne deinen Stammbaum und erklär deinem Partner/
deiner Partnerin, wie du mit wem verwandt bist.

z.B. (John) ist mein Opa.

1f Zu zweit: Stellt euch gegenseitig die Frage: „Hast du Geschwister?"

	Einzahl	**Mehrzahl**
	einen älteren Bruder	zwei jüngere Brüder
Ich habe	eine ältere Schwester	zwei jüngere Schwestern
	keinen Bruder	keine Geschwister
	keine Schwester	

2a Hör zu! Wann sind sie geboren (bzw. wann sind sie gestorben)?

2b Zu zweit. Stellt euch gegenseitig Fragen:

z.B. (Wann hat Ninas Mutter Geburtstag?)   (Am dritten fünften. Wann ist Frank geboren?)

am ersten; am zweiten; am dritten; am vierten;
am einundzwanzigsten; am dreißigsten;
am dritten fünften neunzehnhundertsechsundachtzig

3 Phantasiespiel: Stell deine Familie vor:

z.B. Das ist meine Mutter. Sie heißt Annalena und
ist 39 Jahre alt, und hat im Juni Geburtstag.

Zu Hause

Du zeigst einem deutschsprachigen Freund ein Foto
von deiner Familie. Erzähl, was auf dem Bild ist:

z.B. Hier ist meine Mutter, sie heißt …

4 ▸ Was sind sie von Beruf?

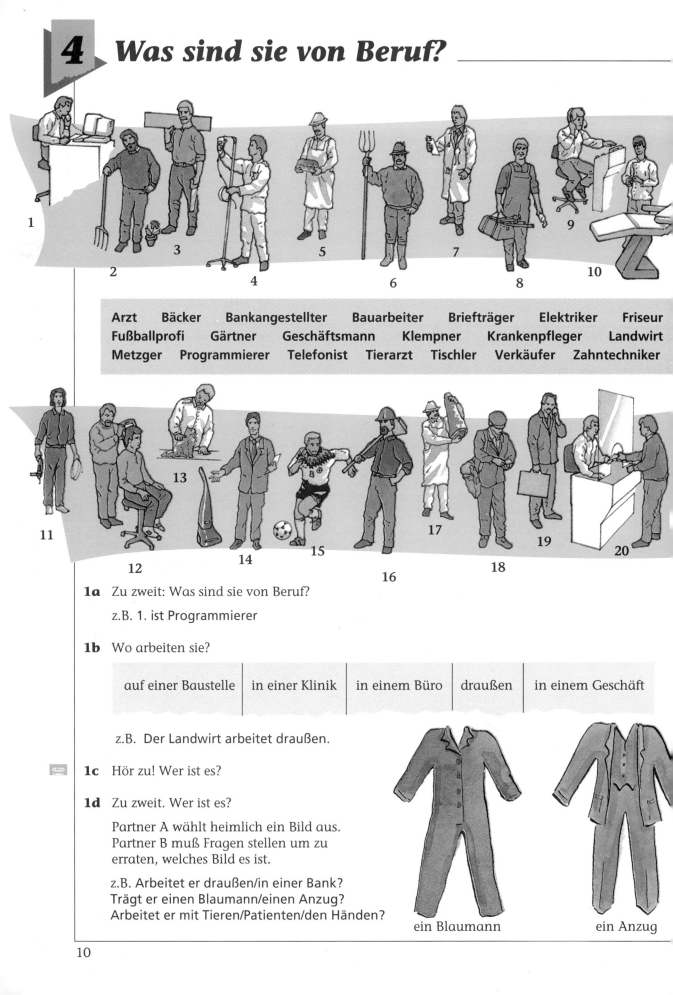

Arzt	Bäcker	Bankangestellter	Bauarbeiter	Briefträger	Elektriker	Friseur
Fußballprofi	Gärtner	Geschäftsmann	Klempner	Krankenpfleger		Landwirt
Metzger	Programmierer	Telefonist	Tierarzt	Tischler	Verkäufer	Zahntechniker

1a Zu zweit: Was sind sie von Beruf?

z.B. 1. ist Programmierer

1b Wo arbeiten sie?

auf einer Baustelle	in einer Klinik	in einem Büro	draußen	in einem Geschäft

z.B. Der Landwirt arbeitet draußen.

1c Hör zu! Wer ist es?

1d Zu zweit. Wer ist es?

Partner A wählt heimlich ein Bild aus.
Partner B muß Fragen stellen um zu
erraten, welches Bild es ist.

z.B. Arbeitet er draußen/in einer Bank?
Trägt er einen Blaumann/einen Anzug?
Arbeitet er mit Tieren/Patienten/den Händen?

ein Blaumann   ein Anzug

2 Zu zweit. Überlegt euch weitere Beispiele. Wo arbeiten sie?

z.B. Der Architekt arbeitet in einem Büro.

Kennst du das Wort nicht?
Schlag im Wörterbuch nach!

	Mask. der	**Fem**. die	**Neutr**. das
Er/Sie arbeitet	in einem auf*	in einer auf*	in einem auf*

der Architekt	der Autoschlosser
die Bibliothekarin	die Empfangsdame
der Friseur	der Ingenieur
die Kellnerin	der Klempner
der Koch	die Krankenschwester
die Laborantin	der Lehrer
der Mechaniker	der Polizist
der Rechtsanwalt	die Sekretärin

die Bibliothek	das Büro
die Fabrik	das Hotel
das Krankenhaus	das Labor
*die Polizeiwache	das Restaurant
der Salon	die Schule
die Werkstatt	

3a Hör zu! Was machen unsere Eltern? Machen sie das gern oder nicht? (1–6)

männlich	**weiblich**
der Polizist	die Polizist**in**
der Verkäufer	die Verkäufer**in**
der Geschäftsmann	die Geschäfts**frau**
der Empfangsherr	die Empfangs**dame**

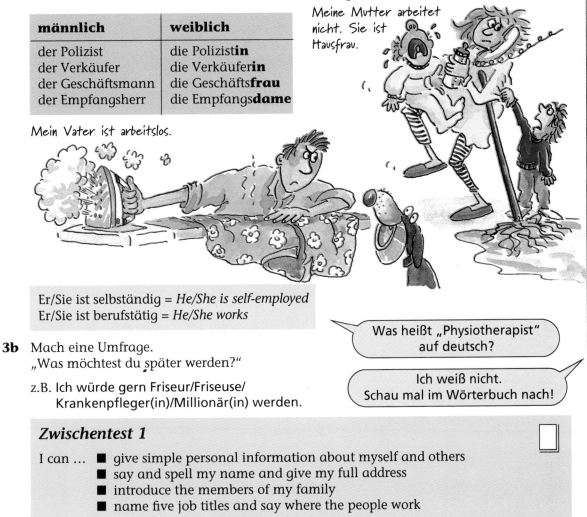

Meine Mutter arbeitet nicht. Sie ist Hausfrau.

Mein Vater ist arbeitslos.

Er/Sie ist selbständig = *He/She is self-employed*
Er/Sie ist berufstätig = *He/She works*

Was heißt „Physiotherapist" auf deutsch?

Ich weiß nicht.
Schau mal im Wörterbuch nach!

3b Mach eine Umfrage.
„Was möchtest du später werden?"

z.B. Ich würde gern Friseur/Friseuse/
Krankenpfleger(in)/Millionär(in) werden.

Zwischentest 1

I can … ■ give simple personal information about myself and others
■ say and spell my name and give my full address
■ introduce the members of my family
■ name five job titles and say where the people work

Das Europa Lied

Wunderland vom Schwarzmeer zum Atlantik.
Breite Ströme zieh'n mich mit sich fort.
Steile Felsen kratzen an den Wolken.
Dunkle Wälder streicheln sanft das Land.

Polarlicht malt ein Zauberband,
der Südwind streut Saharasand.
Der Golfstrom wärmt den Meeresstrand,
Europa, grenzenloses Land!

Du willst andre nicht besiegen,
Du gibst vielen Völkern Raum.
Europa, sanft nach all den Kriegen,
mit Dir lebt der Menschen Traum.

Schnelle Züge fliegen mit der Sonne,
tausend Pferde, golden glänzt ihr Haar.
Labyrinthe, Tempel, Kathedralen,
zwischen Türmen der Vernunft.

Polarlicht malt ein Zauberband,
der Südwind streut Saharasand.
Der Golfstrom wärmt den Meeresstrand,
Europa, grenzenloses Land!

Du willst andre nicht besiegen,
Du gibst vielen Völkern Raum.
Europa, sanft nach all den Kriegen,
mit Dir lebt der Menschen Traum.

---

der Strom = *current*
steil = *steep*
der Fels (en) = *rock*

malen = *to paint*
der Zauber = *magic*

fortziehen = *to carry away*
kratzen = *to scratch*
streicheln = *to stroke*
sanft = *softly*

streuen = *to strew, scatter*

die Grenze = *border*

besiegen = *to conquer*
der Raum = *space*
der Krieg = *war*
der Traum = *dream*

die Vernunft = *reason*

Name:	Andreas Reiter	Rosi Imberger
Alter:	16	15 Jahre
Geburtstag:	27.09.	15.07.
Sternzeichen:	Waage	Krebs
Geburtsort:	München	Innsbruck
Wohnort:	München	München
Größe:	1.85 m	1,68 m
Hobbys:	Zeichnen, Schwimmen, Sport	Snowboarden, Lesen, Wandern
gewünschter Beruf:	Graphiker	Journalistin
Was mich anmacht:	Natürlichkeit	Reisen
Was mich abtörnt:	Rauchen, Eitelkeit, übermäßiges Schminken	Umweltverschmutzung

Was bringt die Woche für Andreas und Rosi?
Was machen sie am Wochenende?

Krebs 22.6 – 22.7

Du hast null Bock auf irgendwas. Du amüsierst Dich lieber solo daheim, schreibst ein Gedicht oder sortierst alte Liebesbriefe. Du genießt es! Das Wochenende bringt zwei Tage zum Lesen, Träumen und Musikhören.

Wassermann 21.1 – 19.2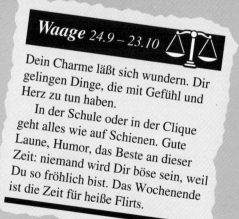

Du bist gut drauf und ziemlich rebellisch. Gut, daß Du Deiner Freundin oder Deinem Freund mal die Meinung sagst. Ein Krebs-Boy/Girl wäre jetzt gut für Deine Seele, ein Stier optimal zum Schmusen.

Waage 24.9 – 23.10

Dein Charme läßt sich wundern. Dir gelingen Dinge, die mit Gefühl und Herz zu tun haben.
    In der Schule oder in der Clique geht alles wie auf Schienen. Gute Laune, Humor, das Beste an dieser Zeit: niemand wird Dir böse sein, weil Du so fröhlich bist. Das Wochenende ist die Zeit für heiße Flirts.

Ich bin in Braunschweig geboren. Ich habe einen Bruder und zwei Hunde und wohne mit meinen Eltern in Wenden, einem Ortsteil von Braunschweig.

Ich bin mit ca. 3 Jahren in einen Kindergarten gekommen. Ich kann mich leider nicht mehr an die Zeit im Kindergarten erinnern, aber ich glaube, es war ganz lustig!

Ich bin dann mit meinem 7. Lebensjahr in die Grundschule gekommen. Die Zeit war ganz blöd, weil ich nicht sehr gut in der Schule war. Als ich dann mit meinem 10. Lebensjahr auf die IGS (Integrierte Gesamtschule) kam, hat es mir Spaß gemacht. Ich hatte liebe Freunde und nette Lehrer, ich bin sogar in der Schule gut geworden.

Jetzt bin ich in der 9. Klasse, und ich hoffe, daß ich bis zum Abitur auf diese Schule gehen kann.
Hier macht Lernen wirklich Spaß!

Andrea

1a In welche Schule geht Andrea?
In welchem Jahrgang ist sie?

Alter	Jahr-gang
15	10
14	9
13	8
12	7
11	6
10	5
9	4
8	3
7	2
6	1

a 4 J.   **b** 6 J.   **c** 8 J.   **d** 11 J.   **e** 13 J.   **f** 15 J.

1b Geht sie gern in die Schule? Warum?

z.B. Sie geht gern/nicht gern in die Schule, weil …

2a Hör zu! Wie finden sie die Schule? (1–7) Warum?

a anstrengend   b nützlich   c wichtig   d ganz lustig   e interessant

f blöd   g ganz gut   h langweilig   i es macht Spaß

j weil ich mich mit Freunden treffe   k weil die Arbeit schwer ist   l weil die Lehrer blöd sind

m weil ich die Arbeit nicht zu schwer finde   n weil die Lehrer gut sind   o weil wir zu viele Hausaufgaben haben

p weil ich den … lehrer nicht leiden kann

2b Kommst du gern oder nicht gern zur Schule? Warum?

2c Kommt ihr gern zur Schule oder nicht? Was meinst du? Stell die Frage an fünf Mitschüler: „Kommst du gern in die Schule? Warum (nicht)?"

Zu Hause

Schreib den Text ab und vervollständige ihn:

Ich gehe auf die … Schule. Das ist eine Sekundarschule und es gibt … Schüler im Alter von … bis … Jahren. Ich gehe in die Klasse … .

Unser(e) Klassenlehrer(in) heißt … . Ich komme gern/nicht gern zur Schule, weil …

7 Michaels Stundenplan

		Montag	Dienstag	Mittwoch	Donnerstag	Freitag
erste Stunde	7.45 – 8.30	Deutsch	Englisch	Sport: Mädchen / Kunst: Jungen	Deutsch	Religion
zweite Stunde	8.35 – 9.20	Politik	Französisch	Englisch	Geschichte	Englisch
große Pause 9.20 – 9.35						
dritte Stunde	9.35 – 10.20	Englisch	Katholische Reli / Evangelische Reli	Chemie	Mathematik	Physik
vierte Stunde	10.25 – 11.10	Französisch/ Sowi	Deutsch	Biologie	Französisch	Mathematik
große Pause 11.10 – 11.25						
fünfte Stunde	11.25 – 12.10	Mathematik	Mathematik	Deutsch	Sport: Mädchen / Textil: Jungen	Textil: Mädche / Sport: Junger
sechste Stunde	12.15 – 13.00	Erdkunde	/	—	Sport: Mädchen / Textil: Jungen	Textil: Mädche / Sport: Junge

1a Zu zweit. Stellt euch gegenseitig Fragen.

z.B.

> Was hat er montags, in der ersten Stunde?

> Wie oft in der Woche hat er Sport?

> Wie viele Fächer hat er insgesamt?

> Wie viele Stunden hat er in der Woche?

1b Vergleich deinen Stundenplan mit Michaels Stundenplan. Finde fünf Unterschiede und vergleich deine Liste mit der Liste eines Partners oder einer Partnerin:

z.B.

Sein/Unser Schultag ist länger/kürzer.

Seine Schule/Unsere Schule fängt um ... Uhr an und ist um ... Uhr aus.

Er hat/Wir haben nachmittags (keinen) Unterricht.

Bei ihm/uns dauert eine Unterrichtsstunde/die Pause/die Mittagspause ... Minuten.

In der Woche hat er ... Stunden (Mathe). Wir haben nur ... Stunde(n) ...

Wir haben ... zweimal in der Woche. Er macht mehr/weniger ...

Er hat/Wir haben kein(e/en) (Sowi).

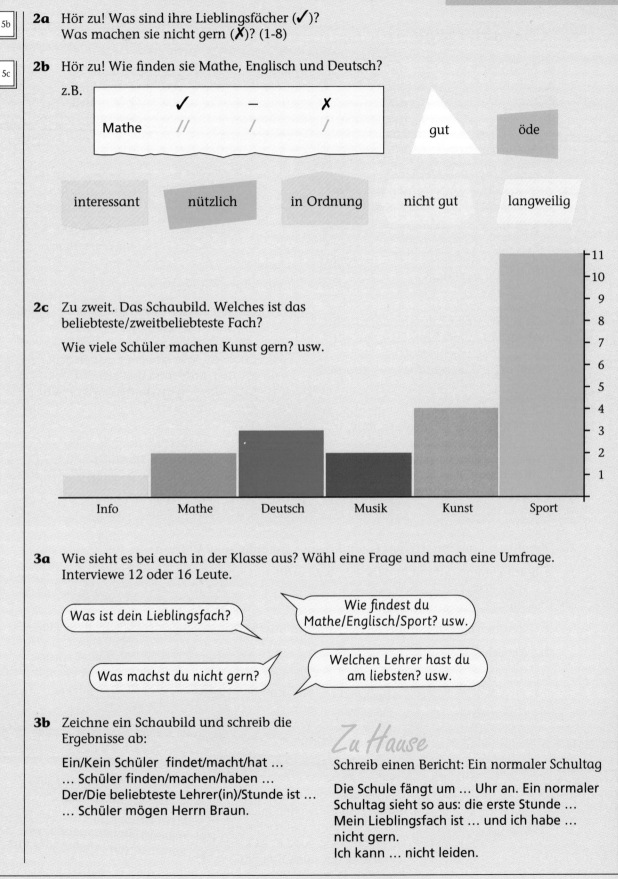

5b

2a Hör zu! Was sind ihre Lieblingsfächer (✔)?
Was machen sie nicht gern (✘)? (1-8)

5c

2b Hör zu! Wie finden sie Mathe, Englisch und Deutsch?

z.B.

	✔	–	✘
Mathe	//	/	/

gut

öde

interessant   nützlich   in Ordnung   nicht gut   langweilig

2c Zu zweit. Das Schaubild. Welches ist das
beliebteste/zweitbeliebteste Fach?

Wie viele Schüler machen Kunst gern? usw.

Info   Mathe   Deutsch   Musik   Kunst   Sport

3a Wie sieht es bei euch in der Klasse aus? Wähl eine Frage und mach eine Umfrage.
Interviewe 12 oder 16 Leute.

Was ist dein Lieblingsfach?

Wie findest du
Mathe/Englisch/Sport? usw.

Was machst du nicht gern?

Welchen Lehrer hast du
am liebsten? usw.

3b Zeichne ein Schaubild und schreib die
Ergebnisse ab:

Ein/Kein Schüler findet/macht/hat …
… Schüler finden/machen/haben …
Der/Die beliebteste Lehrer(in)/Stunde ist …
… Schüler mögen Herrn Braun.

Zu Hause

Schreib einen Bericht: Ein normaler Schultag

Die Schule fängt um … Uhr an. Ein normaler
Schultag sieht so aus: die erste Stunde …
Mein Lieblingsfach ist … und ich habe …
nicht gern.
Ich kann … nicht leiden.

8 Kommst du gut mit ihnen aus?

Charakterzüge

a. ängstlich   **g.** häßlich   **m.** lustig   **s.** sportlich
b. dumm   **h.** hilfsbereit   **n.** ordentlich   **t.** unfreundlich
c. faul   **i.** höflich   **o.** phantasievoll   **u.** unordentlich
d. fleißig   **j.** humorvoll   **p.** ruhig   **v.** unsportlich
e. freundlich   **k.** klug   **q.** schüchtern   **w.** unternehmungslustig
f. gutaussehend   **l.** langweilig   **r.** selbstbewußt

1a Welche Charaktereigenschaften sind positiv und welche sind negativ ?

z.B.

positiv	negativ
gutaussehend	häßlich

> Wie heißt „ängstlich" auf englisch?

> Ich weiß es nicht. Schau mal im Wörterbuch nach!

1b Hör zu! Welche Charaktereigenschaften haben Tanja, Joachim, Elke und Ulli?

1c Wähl acht Eigenschaften aus und bilde Sätze:

z.B. Der Mathelehrer ist immer humorvoll. Mein Bruder ist meistens faul.

immer = *always*   meistens = *mostly*
nie = *never*
ab und zu/manchmal = *sometimes*

1d Wie sieht es bei dir aus?

z.B. Ich bin gutaussehend, fleißig, immer hilfsbereit … usw.

1e Zu zweit. Wie ist dein Partner/deine Partnerin? Nenne drei seiner/ihrer Charaktereigenschaften. Was meint er/sie, stimmt das?

z.B.

> Du bist humorvoll, fleißig und sportlich.

> Das stimmt nicht. Ich bin nicht fleißig.

2a Kommst du gut mit deinem Freund/deiner Freundin aus? Warum?

z.B. Ich komme gut mit ihm/ihr aus, weil er/sie (lustig) ist.

2b Hör zu!

i. Kommen sie gut mit ihren Geschwistern aus? (1–6)

ii. Wer schreibt?

d Ich komme gut mit meinem Bruder aus, weil wir zusammen Fußball spielen, aber mit meiner Schwester sieht es nicht so gut aus.

b Er nervt mich. Er hilft nie im Haushalt. Er ist unordentlich, und ich muß immer aufräumen, und er darf mit Freunden spielen.

a Ich habe keine Geschwister. Im Moment habe ich Stubenarrest, weil ich schlechte Noten bekommen habe, das heißt, ich darf abends nicht ausgehen. Ich muß zu Hause bleiben und Hausaufgaben machen und für die Schule üben.

e Mit meiner Schwester komme ich gut aus. Ich darf ihre Kleider anziehen und ihr Make-up auftragen.

c Mein Bruder will immer was anderes im Fernsehen gucken und schaltet um, wenn ich eine Sendung gucke, und er ist sehr laut und bringt seine Freunde mit nach Hause.

f Mein Bruder hilft mir bei meinen Hausaufgaben, wir kommen gut miteinander aus.

18

2c Kommst du gut mit deinen Eltern/deinen Geschwistern aus?
Warum, oder warum nicht?

z.B.
Ich komme (nicht) gut mit meinen Eltern aus, weil ich schlechte Noten bekomme.
meinem Bruder aus, weil er mich immer stört.
meiner Schwester aus, weil sie mich ärgert.

3 Was weißt du über Johannes?

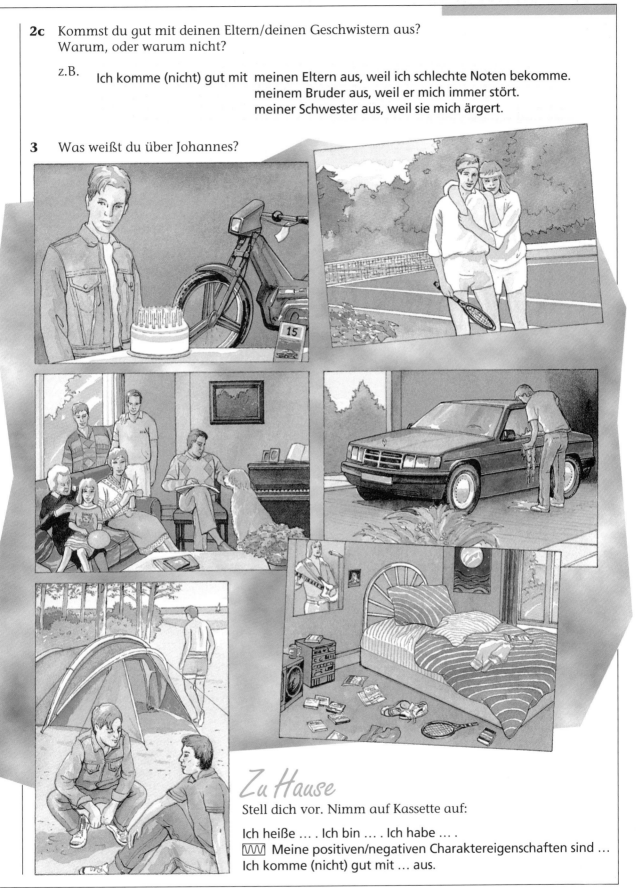

Zu Hause

Stell dich vor. Nimm auf Kassette auf:

Ich heiße … . Ich bin … . Ich habe … .
〰 Meine positiven/negativen Charaktereigenschaften sind …
Ich komme (nicht) gut mit … aus.

I can ...

1	give simple personal information about myself and others:	Ich bin/habe/trage... Er/Sie ist/hat/trägt …
2	say and spell my name and give my full address:	Ich heiße/wohne in … Die Postleitzahl/Telefonnummer ist …
3	introduce the members of my family:	Das ist mein Vater/Bruder/Onkel/Opa/ Hund usw. Er heißt … meine Mutter/Schwester/Tante/ Oma/Katze usw. Sie heißt …
4	name five job titles and say where the people work:	Der Lehrer arbeitet in einer Schule Der Friseur arbeitet in einem Salon usw.
5	say what sort of school I go to and describe the school day:	Ich besuche eine Gesamtschule und gehe in die Klasse 8a. Die Schule fängt um … Uhr an. Wir haben … Unterrichtsstunden. Eine Unterrichtsstunde dauert …. usw. Die Schule ist um… Uhr aus.
6	say what subjects I do and whether I like them or not:	Ich habe Englisch, Mathe usw. Mein Lieblingsfach ist … Ich mache … gern und … nicht gern.
7	say something about what sort of person I am	Ich bin gutaussehend, klug, fleißig, humorvoll …. usw.
	and my friend is:	Mein Freund ist sportlich, phantasievoll und lustig.
8	say whether I get on, or not, with my parents, brothers and sisters or friends and why:	Ich komme gut mit meinen Eltern aus, weil sie mich nicht ärgern und ich nicht im Haushalt helfen muß. Ich komme nicht gut mit meinem Bruder aus, weil er ständig in mein Zimmer kommt und mich stört, wenn ich meine Hausaufgaben mache.

A *Wie hießen die Fragen?*

1 Ja, eine ältere Schwester und einen jüngeren Bruder.

2 Sie ist größer als ich und hat langes, blondes Haar und blaue Augen.

3 Sie ist ordentlich, ziemlich ruhig, aber unternehmungslustig und macht viel Sport.

4 Meistens ja. Manchmal gibt es Ärger, wenn ich in ihr Zimmer gehe, wenn sie Freunde zu Besuch hat.

5 Er ist kleiner als ich, hat blonde Haare und braune Augen.

6 Ja, er ist sportlich, unordentlich und ein bißchen hektisch und laut.

7 Meistens ziemlich gut, außer wenn er stundenlang Gitarre übt.

8 Er ist Autoschlosser und arbeitet in einer Autowerkstatt.

9 Sie ist Empfangsdame in einem Hotel.

10 Nein. Sie geht noch zur Schule. Sie macht das Abitur.

11 Wir haben zu viele Hausaufgaben auf, sonst ist es meistens ganz in Ordnung.

12 Sport und Mathe.

Hast du Geschwister?

Kannst du sie/ihn beschreiben?

Wie findest du die Schule?

Kommst du gut mit ihm/ihr aus?

Was für einen Charakter hat dein Vater/Bruder/Freund oder deine Mutter/Schwester/Freundin?

Was ist dein Lieblingsfach?

Ist dein Vater/deine Mutter/er/sie berufstätig?

Was ist er/sie von Beruf?

B *Hör zu! Kannst du die Fragen beantworten?*

Die Welt – mein Zuhause

1. Die Erde

1a Zu zweit. Wo befinden sie sich auf dem Globus?

- **i** der Nordpol
- **ii** der Südpol
- **iii** der Äquator
- **iv** die Nordhalbkugel
- **iv** die Südhalbkugel
- **vi** die Tropen (Wendekreis des Steinbocks/Wendekreis des Krebses)
- **vii** die Arktis
- **viii** die Antarktis

z.B. i ist a.

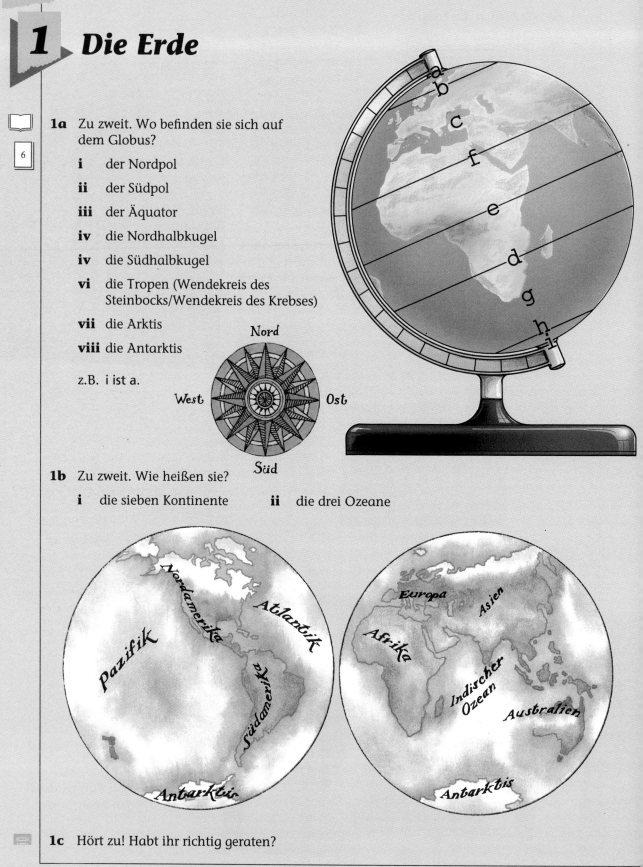

1b Zu zweit. Wie heißen sie?

- **i** die sieben Kontinente
- **ii** die drei Ozeane

1c Hört zu! Habt ihr richtig geraten?

2a Zu zweit. Wo befinden sie sich? Auf welchem Kontinent?

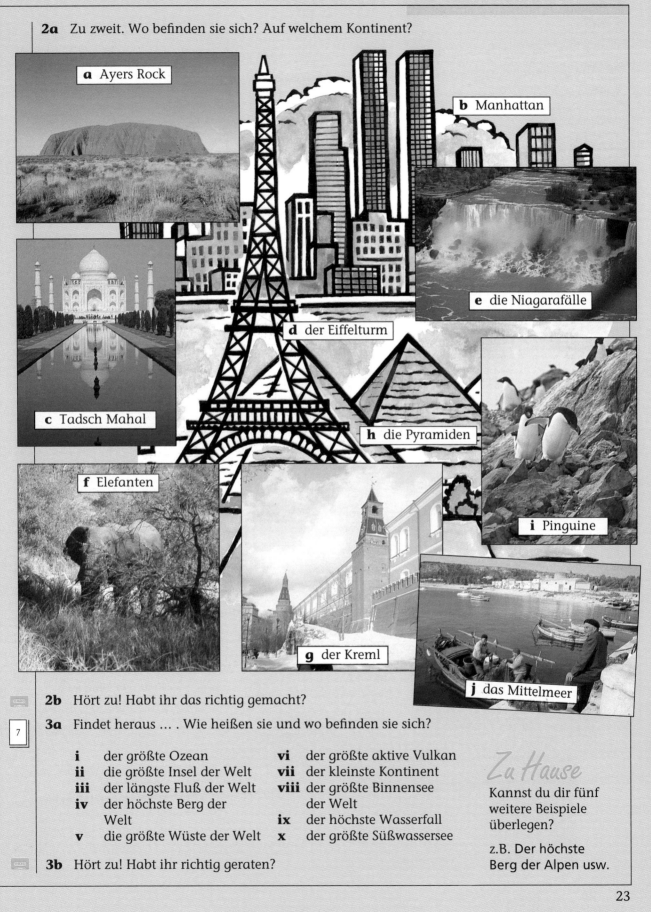

a Ayers Rock

b Manhattan

e die Niagarafälle

d der Eiffelturm

c Tadsch Mahal

h die Pyramiden

f Elefanten

i Pinguine

g der Kreml

j das Mittelmeer

2b Hört zu! Habt ihr das richtig gemacht?

3a Findet heraus … . Wie heißen sie und wo befinden sie sich?

i der größte Ozean	**vi** der größte aktive Vulkan
ii die größte Insel der Welt	**vii** der kleinste Kontinent
iii der längste Fluß der Welt	**viii** der größte Binnensee der Welt
iv der höchste Berg der Welt	
	ix der höchste Wasserfall
v die größte Wüste der Welt	**x** der größte Süßwassersee

Zu Hause

Kannst du dir fünf weitere Beispiele überlegen?

z.B. Der höchste Berg der Alpen usw.

3b Hört zu! Habt ihr richtig geraten?

2 ▸ *Heimat der Anangu*

Dies ist die Heimat der Anangu, der traditionellen Bewohner der Roten Mitte Australiens. Uluru (Ayers Rock) und Kata Tjuta (die Olga-Berge) sind „die heiligen Stätten" der Anangu. Die Berge sind die Hauptattraktionen des Uluru-Nationalparks und jedes Jahr kommen Tausende von Touristen, um den Sonnenuntergang zu sehen, den Berg zu besteigen und die Aussicht zu genießen.

„Liebe Besucher!
Wir möchten, daß Sie unser Land, die Pflanzen und Blumen kennenlernen, die Vögel und Wildtiere respektieren und nicht nur den Sonnenuntergang ansehen und den Berg (Uluru) besteigen. Wir möchten Ihnen unsere Musik und Tänze lehren, Ihnen unsere Kunst und Holzschnitte zeigen, Ihnen unsere Traditionen und Geschichten erzählen."

a

b

„Am Anfang der Welt sind unsere Vorfahren in der Form von Tieren, Menschen oder Pflanzen umhergewandert, und haben Spuren in der Form ‚heiliger Stätten' hinterlassen. Der Tourist kommt und fotografiert alles. Was hat er? Noch ein Foto, das er mit nach Hause nimmt. Er sollte lieber unseren Geschichten zuhören. Er würde dann keinen großen Berg sondern ‚Kuniay dinnen' sehen, sowie es seit dem Anfang der Zeit ist. Er würde dann seine Kamera wegwerfen."

Der Uluru-Nationalpark liegt in der Nähe vom geographischen Mittelpunkt Australiens und ist von der UNESCO als Schutzgebiet anerkannt, weil der Park verschiedene wichtige Wüstenökosysteme einschließt.
Die Wanderpfade der Vorfahren nennt man heute „Dreaming Tracks" oder Traumpfade"

ULURU-BESTEIGUNG 1,6 KM LANG; DAUER 2 STUNDEN.

ULURU IST FÜR UNS EINE HEILIGE STÄTTE. WIR BITTEN SIE FREUNDLICHST, DEN BERG NICHT ZU BESTEIGEN, SONDERN SEINE KULTURELLE UND GEISTIGE BEDEUTUNG ZU RESPEKTIEREN.

SIE WERDEN FREUNDLICHST GEBETEN, DIE HEILIGEN STÄTTEN NICHT ZU FOTOGRAFIEREN.

1a Hör zu! Lesen und Verstehen.
Wähl einen passenden Titel zu jedem Bild.

1b Was meinst du? Würdest
du den Berg besteigen oder
nicht? Warum?

> Ich würde den Berg (nicht) besteigen, …
> weil die Aussicht schön ist.
> weil die Anangu das nicht wollen.
> weil es für die Anangu eine heilige Stätte ist.
> weil ich den Berg und die Anangu respektieren möchte.

1c Hör zu! Den Berg besteigen, ja oder nein? Was meinen sie? Warum?
Wie findest du die Touristen? (1-8)

freundlich   nett   arrogant   unsympathisch   sympathisch

2 Hör zu! Wie heißen die Tiere?
Was weißt du über die Tiere?

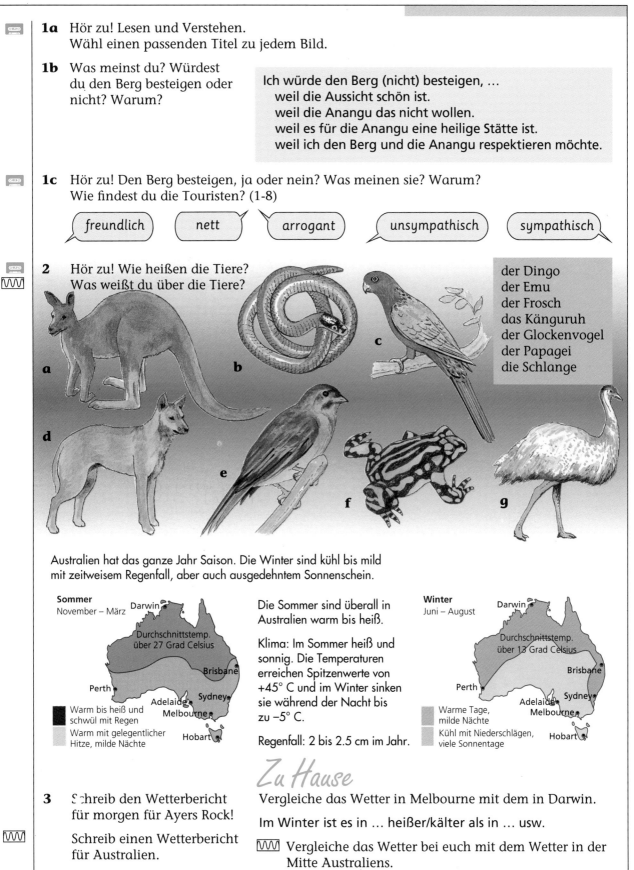

> der Dingo
> der Emu
> der Frosch
> das Känguruh
> der Glockenvogel
> der Papagei
> die Schlange

Australien hat das ganze Jahr Saison. Die Winter sind kühl bis mild
mit zeitweisem Regenfall, aber auch ausgedehntem Sonnenschein.

Sommer
November – März   Darwin

Durchschnittstemp.
über 27 Grad Celsius

Brisbane

Perth

Adelaide   Sydney
Melbourne

Warm bis heiß und
schwül mit Regen
Warm mit gelegentlicher
Hitze, milde Nächte   Hobart

Die Sommer sind überall in
Australien warm bis heiß.

Klima: Im Sommer heiß und
sonnig. Die Temperaturen
erreichen Spitzenwerte von
+45° C und im Winter sinken
sie während der Nacht bis
zu −5° C.

Regenfall: 2 bis 2.5 cm im Jahr.

Winter
Juni – August   Darwin

Durchschnittstemp.
über 13 Grad Celsius

Brisbane

Perth   Sydney
Adelaide
Melbourne

Warme Tage,
milde Nächte
Kühl mit Niederschlägen,   Hobart
viele Sonnentage

Zu Hause

3 Schreib den Wetterbericht
für morgen für Ayers Rock!

Schreib einen Wetterbericht
für Australien.

Vergleiche das Wetter in Melbourne mit dem in Darwin.

Im Winter ist es in … heißer/kälter als in … usw.

Vergleiche das Wetter bei euch mit dem Wetter in der
Mitte Australiens.

3 Europa

1a Europaquiz. Was weißt du?

8a

i. Wie heißen die Länder?

Belgien
Dänemark
Deutschland
Frankreich
Griechenland
Großbritannien
Holland
Irland
Italien
Norwegen
Österreich
Polen
Portugal
Schweden
Schweiz
Spanien
Tschechien
Türkei

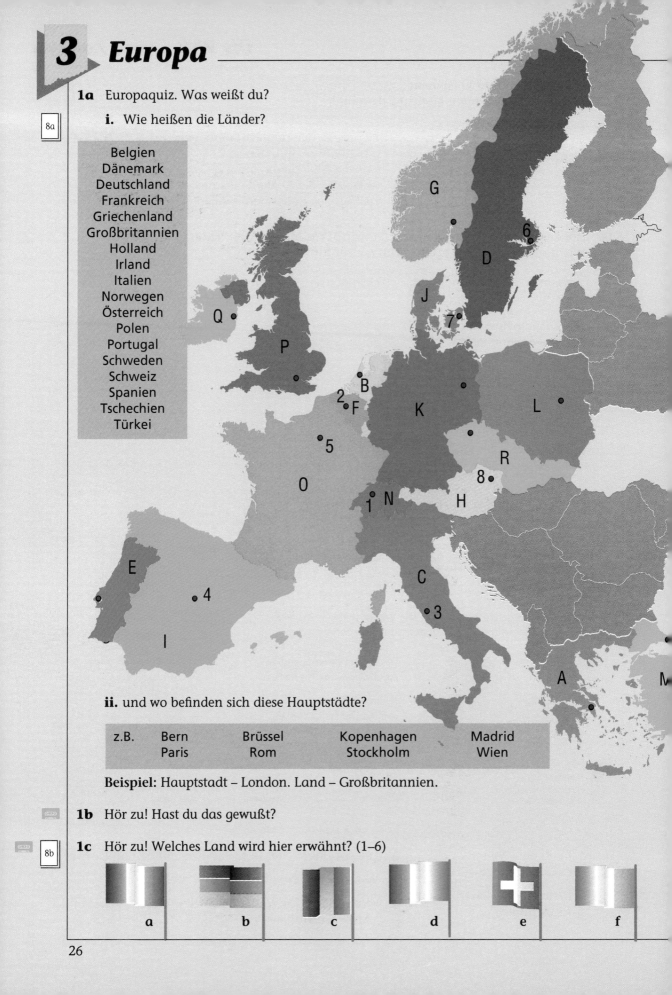

ii. und wo befinden sich diese Hauptstädte?

z.B.	Bern	Brüssel	Kopenhagen	Madrid
	Paris	Rom	Stockholm	Wien

Beispiel: Hauptstadt – London. Land – Großbritannien.

1b Hör zu! Hast du das gewußt?

1c Hör zu! Welches Land wird hier erwähnt? (1–6)

8b

a   b   c   d   e   f

2a Zu zweit: Europäische Stereotypen! Was meint ihr? Woher kommen sie? Woher wißt ihr das?

Wofür sind ihre Heimatländer berühmt?

> Nummer eins kommt aus Holland, weil sie Clogs und eine holländische Tracht trägt. Holland ist für Käse (Gouda und Edamer), Windmühlen und Tulpen bekannt. Rembrandt und van Gogh sind bekannte holländische Künstler.

2b Zu viert: Vergleicht eure Antworten.

3a Zu zweit: Ferien in Schweden oder Frankreich? Wohin fahrt ihr lieber? Warum?

> Wir fahren lieber nach …, weil … (ist).

In Schweden	gibt es mehr/weniger Sonne/Leute/Häuser	als in Frankreich.
In Frankreich	ist das Wetter/Wasser besser/kälter/wärmer	als in Schweden.
kann man	mehr/weniger unternehmen	
	sich sonnen.	

Gibt es noch weitere Unterschiede?

z.B. In ... sind die Häuser größer/kleiner
                                    aus Holz/Beton

Zu Hause

Schreib die Namen von sechs europäischen Ländern und deren Hauptstädten auf!
z.B. Holland. Hauptstadt – Amsterdam
… und etwas, wofür das Land berühmt ist.

3b Hör zu! Wo haben sie ihre Ferien verbracht? Wie waren die Ferien?

9a

a ein Hafen

b eine Industriestadt

c eine Touristenstadt

d eine schöne Stadt

e eine historische Stadt

f eine Universitätsstadt

1 Hamburg
3 Berlin
7 Leipzig
Köln 6
Garmisch-Partenkirchen
4 Salzburg
8 Wien
5
2 Luzern

A das Brandenburger Tor

B das Schloß (Schloß Mirabell)

C der Berg (die Zugspitze)

D das Rathaus

E der Dom

F die Brücke (die Kapellbrücke)

G der See (die Alster)

H das Riesenrad

1a Hör zu!

   i. Woher kommt er/sie?
   ii. Was für eine Stadt ist es?
   iii. Nenne für jede Stadt eine Sehenswürdigkeit!

1b Hör nochmal zu!

   i. Was kann man da machen?
   ii. Was meinst du? Wohnt er/sie da gern oder nicht gern?

Man kann	Sport treiben/Ski fahren/Schlittschuh laufen/rodeln/radfahren
	Tennis/Fußball spielen schwimmen/joggen/reiten gehen Shopping/einen Einkaufsbummel machen den Park/das Museum/das Kino besuchen
Es gibt	ein Einkaufszentrum/ein gutes Restaurant/viel zu unternehmen keine Freizeitmöglichkeiten/kein Sportzentrum/kein Freibad

1c Würdest du da gern wohnen? Warum, oder warum nicht?

Ich würde gern/nicht gern in … wohnen,
   weil man … kann.
   weil es … gibt.

2a Brainstorming. Zu zweit. Wie viele Gebäude (z.B. Post) in einer Stadt könnt ihr in zwei Minuten nennen? Macht eine Liste!

2b Der, die oder das? Schaut mal nach! Habt ihr das richtig gemacht?

2c Hört zu! Hakt die Gebäude auf eurer Liste ab und schreibt die neuen Wörter auf.

2d Die Legende.

3a Wo wohnst du? Was für eine Stadt/ein Dorf ist das? Wo liegt es? Was kann man da machen? Wohnst du gern in …? Warum?

Ich wohne in …/auf dem Land.

Es ist (ein kleines Dorf/eine kleine/große Industriestadt) (in Nord/Süd …)

Es gibt … . Man kann … . Ich wohne da gern/nicht gern.

3b Was sind die Vor- und Nachteile?

Zwischentest 2

I can …

- name five continents and three oceans and
- say in which part of the world I live
- name eight countries in Europe and their capital cities
- name five buildings in the (nearest) town and three things that you can do there
- say where I live, what sort of place it is and whether I like living there
- give one advantage and one disadvantage of living there

Wiederhole Zwischentest 1!

5 Große Pause!

TEST • TEST • TEST • TEST • TEST

Was bist Du für ein Wohntyp?

1. Stell Dir vor, Du kannst Dein neues Bett selber aussuchen. Was wählst Du?

a) Ein rosarotes Himmelbett in Herzform.

b) Eine neonfarbene Couch.

c) Du würdest am liebsten auf dem Fußboden schlafen, weil das alle tun.

d) Dir ist das Design egal – Hauptsache bequem.

2. Wie würdest Du dich bei einem Umzug verhalten?

a) Der Umzug ist Dir egal. Hauptsache, Dein Teddybär kommt mit.

b) Du würdest Deinen Hamster mit Punkfrisur mitnehmen. Was sonst!

c) Du nimmst keine Möbel mit. Du kaufst neue, die gerade „in" sind.

d) Du nimmst alles Brauchbare mit, was Dir zur Verfügung steht.

3. Du brauchst Geld und mußt etwas verkaufen. Wovon trennst Du Dich als erstes?

a) Von dem Drahtbett, das ein Freund geschenkt hat.

b) Von dem braunen Kleiderschrank, den Deine Eltern gekauft haben.

c) Von Deiner Zahnbürste, weil Zähneputzen „uncool" ist.

d) Von Deinem Computer, weil er schädlich für Dich ist.

4. Du bist umgezogen. Mit wem freundest Du Dich zuerst an?

a) Mit Lisa, weil sie eine schöne Kuschelecke hat.

b) Mit dem Punker von nebenan, weil Du seine Klamotten „cool" findest.

c) Mit dem Typen, der den Schaukelstuhl entworfen hat, weil Du solche Sachen gut findest.

d) Mit Hannelore, weil sie Dir giftfreie Farbe für Deine Wände geschenkt hat.

Du hast d) am meisten angekreuzt.
Du bist der praktische Öko-Typ. Du faßt nichts an, was Du nicht vorher desinfiziert hast. Wer mit Dir reden will, muß sich mindestens fünfmal täglich waschen.
Frage: Übertreibst Du da nicht ein bißchen?

Du hast c) am meisten angekreuzt.
Du magst moderne Möbel, die nicht unbedingt bequem sein müssen.
Man findet bei Dir das Nagelbett eines Fakirs – wenn es gerade modern ist.

Du hast b) am meisten angekreuzt.
Du liebst grelle Farben and Verrücktes. Sanfte Farben findest Du langweilig. *Bist Du vielleicht ein Punker?*

LÖSUNG

Du hast a) am meisten angekreuzt.
Du bist ein verspielter Schmuse-Typ. Dein Zimmer würdest Du am liebsten nur mit Stofftieren einrichten. *Du träumst davon, in einem großen Stofftier zu leben.*

---

der Himmel = *heaven*	sich trennen von = *to part from*	schmusen = *to cuddle*
der Fußboden = *floor*	das Drahtbett = *wire (spring) bed*	grell = *garish/loud*
es ist dir egal = *it's all the same to you/it doesn't matter*	schädlich = *damaging/bad*	verrückt = *mad*
	die Kuschelecke = *cosy corner*	sanft = *soft*
die Hauptsache = *the main thing*	die Klamotten = *gear/clothes*	unbedingt = *definitely*
bequem = *comfortable*	der Schaukelstuhl = *rocking chair*	das Nagelbett = *bed of nails*
der Umzug = *removal*	die Sache = *thing*	anfassen = *to take hold of*
gerade = *just/at the moment*	giftfreie Farbe = *poison free/ lead free paint*	reden = *to talk*
zur Verfügung = *available*		übertreiben = *to overdo*

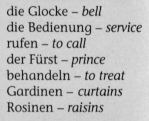

Das Kinder- und Jugendcafé (von Bernd, 14 Jahre)

So ein Café sollte an jedem Tisch eine Glocke haben. Damit kann man die Bedienung rufen. Man sollte die Kinder wie Fürsten behandeln. Es gibt nur Pommes, Spaghetti und Pizza. Einen Billardtisch und einen Spielautomaten (jugendfrei) gibt es auch. Kinder, die kein Geld haben, können in der Küche arbeiten.

die Glocke – *bell*
die Bedienung – *service*
rufen – *to call*
der Fürst – *prince*
behandeln – *to treat*
Gardinen – *curtains*
Rosinen – *raisins*

Traumhaus

Mein Traumhaus ist aus Schokolade
und im Schwimmbecken fließt Limonade.
Aus Marzipan sind die Gardinen,
und das Bett ist aus Rosinen.
Mein Sofa ist aus Kaubonbons,
und daran hängen Luftballons.
Die Treppe ist aus Joghurteis,
da lauf' ich rauf mit sehr viel Fleiß.
Zwei Türme, die sind auch noch dran,
worin man sehr gut zeichnen kann.

6 Das Haus

1a Zu zweit. Was meint ihr? Wo befinden sich die Wohnungen?

Das Haus ist

a ein Einfamilienhaus

b ein Bauernhof

c ein Mehrfamilienhaus

d ein großer Wohnblock

e ein Gasthaus

f ein Bungalow

in: den Alpen   Australien
     Deutschland   Griechenland
     der Karibik   Nordamerika

1b Welche Familie wohnt in welchem Haus?

z.B. Familie … wohnt in Haus **a**.

Familie Thompson

Familie Papadopoulos

Familie Bauer

Familie Sturtridge

Familie Sailer

Familie Dupont

1c Wo wohnen sie? z.B. Die Familie … wohnt ….

1 auf dem Land   **2** an der Küste   **3** in einem Dorf   **4** in den Bergen   **5** in einer Stadt   **6** in einer Großstadt

1d Schreibt einen Bericht:

z.B. Familie … wohnt in (Amerika). Sie wohnen in einem Haus/auf einem Bauernhof in/an/auf … . usw.

Wir wohnen in einem Zweifamilienhaus am Rande der Stadt. Das Haus ist ziemlich neu. Wir haben einen kleinen Garten vor dem Haus und einen großen Garten hinter dem Haus. Meine Großeltern wohnen auf dem Land in einem kleinen Haus mit Garten und Balkon. Meine große Schwester ist Studentin und wohnt in einem großen Wohnblock im Stadtzentrum. Mein Bruder ist schon verheiratet und wohnt in einem kleinen Reihenhaus in einem Vorort der Stadt, neben einem Park. Er hat eine Tochter, meine Nichte, die sechs Monate alt ist und sehr lieb ist, außer wenn sie weint! Markus

2a Wer wohnt in welchem Haus?

2b Hör zu! Wo wohnen wir? (1–8)

12a

z.B. 1 Wohnblock, Stadtzentrum

12b **2c** Hör zu! Was kann man da alles machen? (1–8)

2d Hör zu! Vorteile und Nachteile? (1–8)

Ich wohne gern/nicht gern hier, weil …

a (es zu streßig ist)

b (es zu heiß ist)   c (die Landschaft schön ist)   d (es (zu) ruhig ist)

e (es zu schmutzig ist)   f (es zu kalt ist)

g (das Wetter nicht gut ist)   h (es zu viel Verkehr gibt)

i (man (nicht) viel unternehmen kann)   j (es zu viele Leute gibt)

Zu Hause

Wo wohnst du? In was für einem Haus wohnst du? Was sind die Vor- und Nachteile von deinem Wohnort? Nimm das auf Kassette auf!

33

7. Der Hausplan

1a Mach das Buch zu! Wie viele Zimmer kannst du in einer Minute nennen?
Zu zweit – vergleicht die Listen.

1b Hör zu! Holger zeigt ihnen den Grundriß seiner Wohnung.
Wie heißen die Zimmer?

z.B. J. ist die Küche

Arbeitszimmer   Badezimmer
Büro   Diele   Dusche
Eingang   Elternschlafzimmer
Eßecke   Eßzimmer   Flur
Garage   Gästezimmer   Keller
Kinderzimmer   Küche
Rumpelkammer   Sauna
Schlafzimmer   Spielzimmer
Toilette   Treppe
Treppenhaus   Vorratskammer
Wintergarten   Wohnzimmer

das -zimmer   das -haus   das -o
die -e   die -kammer   die -a
(Die anderen Wörter sind „der" Wörter.)

1c Beschrifte die Zimmer auf dem Plan.

1d Zeichne und beschrifte einen Plan von deinem Haus.

im Dachgeschoß
im ersten Stock
im Erdgeschoß
im Keller

13

2   Mein Traumhaus hätte …

viel Glas

einen Swimmingpool

Zentralheizung

eine Terrasse

eine Sauna

einen Grillplatz

ein großes Zimmer mit Turngeräten

einen Billardraum

einen großen Bildschirm

2a   Was hättest du gern in deinem Traumhaus? Warum? Bilde Sätze:

z.B. Ich hätte gern einen Tennisplatz, damit ich Tennis spielen könnte.

damit	ich/man	Billard spielen/(mich/sich) fit halten/Filme sehen/	könnte
	wir	die schöne Aussicht genießen/im Garten grillen	könnten

2b   Hör zu! Was hätten Inge und Uwe in ihren Traumhäusern?

2c   Zeichne und beschrifte einen Plan von deinem Traumhaus.

14

Zu Hause

Nimm einen Kommentar zu deinem Hausplan auf.

z.B.   Im Erdgeschoß haben wir hier die Küche, … und im ersten Stock …

Wir wohnen im dritten Stock. Das ist die Eingangstür …

8 ▸ **Im Haus**

1a In welche Zimmer gehören die Möbelstücke?

Schreib die Tabelle ab, und trag die Wörter richtig ein:

Küche	Eßzimmer	Wohnzimmer	Schlafzimmer	Badezimmer
Stuhl	*Stuhl*	*Sessel*	*Stuhl*	*Hocker*

> **Bett Bücherregal Büfett Einbaukleiderschrank Elektroherd Eßtisch Fernseher
> Gefriertruhe Hocker Kleiderschrank Kommode Mikrowelle Schreibtisch Sessel
> Sitzgruppe Sofa Spiegel Spülmaschine Stereoanlage Tisch Wandschrank**

1b Was braucht man noch? Schreib noch drei Gegenstände zu jedem Zimmer auf.

z.B. Abfalleimer Blumentopf Hundekorb Stehlampe Papierkorb Vorhänge

Wie heißt … auf deutsch?

Keine Ahnung!

Das weiß ich auch nicht.

Schau mal im Wörterbuch nach.

Frag jemand anders.

1c Kartenspiel. Kannst du deine Zimmer einrichten?

2a Hör zu! Ulli beschreibt sein Zimmer. Hat er das richtig gemacht?

2b Beschreib Ullis Zimmer.

z.B.

Sein Zimmer	ist	groß/klein
Die Wände/Die Vorhänge	sind …	
Die Bettwäsche/Der Teppichboden	ist …	
Auf dem Bett/dem Regal/dem Tisch An der Wand Unter dem Bett/dem Stuhl	ist … sind … hat er …	
Im Kleiderschrank/In den Schubladen	bewahrt er … auf.	

Die Farben

lila

weiß

schwarz

beige

rot

grün

dunkelblau

blau

grau

rosarot

gelb

hellblau

3a Zu zweit. Beschreibt eure Zimmer!

3b Gruppenspiel. In meinem Zimmer habe ich … .

3c Vergleiche dein Zimmer mit Ullis Zimmer.

z.B. Er hat ein … . Ich habe kein … .
Mein … ist größer/kleiner.

Zu Hause

Zeichne und beschrifte ein Bild von deinem Zimmer …
oder beschrib dein Zimmer auf Kassette!

Mask	Fem	Neut	Plur
einen (roten)	eine (rote)	ein (rotes)	(rote)

Lernzielkontrolle

I can ...

1	name five continents and three oceans and say in which part of the world I live:	Europa, Asien, ..., Pazifik ... Ich wohne in Südengland, in Europa, auf der nördlichen Halbkugel. in Sydney, in Australien, auf der südlichen Halbkugel
2	name eight countries in Europe and their capital cities:	Belgien: Hauptstadt Brüssel, Dänemark: Kopenhagen, Deutschland: Berlin ...
3	name five buildings in the (nearest) town:	der Bahnhof, die Bank ...
4	name the nearest town and say what sort of place it is and whether I like living there	Die Stadt heißt ... Es ist eine Industriestadt. Ich wohne gern hier.
	and name one advantage and one disadvantage of where I live:	Man kann viel unternehmen. Es gibt kein Theater.
5	say what sort of house I live in,	Ich wohne in einem ... haus in einer Wohnung
	where the house is,	... im Stadtzentrum/... in einem Vorort der Stadt/... in einem Dorf
	what rooms there are,	Wir haben eine Küche, ein Wohnzimmer usw.
	and what is in them:	In der Küche ist ...
6	describe my own room:	Die Wände sind blau. In meinem Zimmer habe ich ein Bett ...
7	say if I like living there (or not) and why (or why not):	Ich wohne gern/nicht gern hier, weil das Haus schön/zu klein ist.

Wiederholung

Was weißt du über Renate?

Wo wohnt sie? In was für einem Haus wohnt sie? Was sind die Vor- und Nachteile?

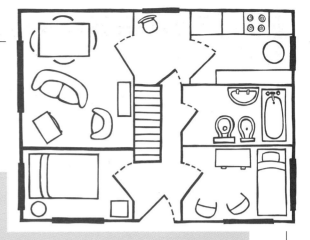

Gesundes Leben

1 Die Mahlzeiten

1a Brainstorming: die Mahlzeiten

Was ißt man zu den verschiedenen Mahlzeiten?

das Frühstück	das zweite Frühstück	das Mittagessen	das Abendessen

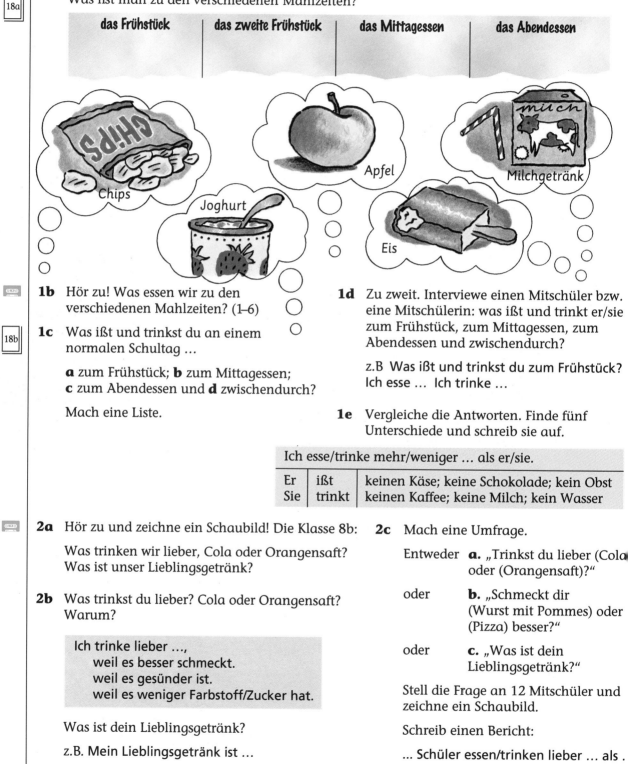

Chips

Joghurt

Apfel

Eis

Milchgetränk

1b Hör zu! Was essen wir zu den verschiedenen Mahlzeiten? (1–6)

1c Was ißt und trinkst du an einem normalen Schultag …

    a zum Frühstück; **b** zum Mittagessen;
    c zum Abendessen und **d** zwischendurch?

Mach eine Liste.

1d Zu zweit. Interviewe einen Mitschüler bzw. eine Mitschülerin: was ißt und trinkt er/sie zum Frühstück, zum Mittagessen, zum Abendessen und zwischendurch?

z.B Was ißt und trinkst du zum Frühstück?
Ich esse … Ich trinke …

1e Vergleiche die Antworten. Finde fünf Unterschiede und schreib sie auf.

Ich esse/trinke mehr/weniger … als er/sie.		
Er	ißt	keinen Käse; keine Schokolade; kein Obst
Sie	trinkt	keinen Kaffee; keine Milch; kein Wasser

2a Hör zu und zeichne ein Schaubild! Die Klasse 8b:

Was trinken wir lieber, Cola oder Orangensaft?
Was ist unser Lieblingsgetränk?

2b Was trinkst du lieber? Cola oder Orangensaft?
Warum?

> Ich trinke lieber …,
>   weil es besser schmeckt.
>   weil es gesünder ist.
>   weil es weniger Farbstoff/Zucker hat.

Was ist dein Lieblingsgetränk?

z.B. Mein Lieblingsgetränk ist …

2c Mach eine Umfrage.

Entweder **a.** „Trinkst du lieber (Cola) oder (Orangensaft)?"

oder **b.** „Schmeckt dir (Wurst mit Pommes) oder (Pizza) besser?"

oder **c.** „Was ist dein Lieblingsgetränk?"

Stell die Frage an 12 Mitschüler und zeichne ein Schaubild.

Schreib einen Bericht:

… Schüler essen/trinken lieber … als …

PFIRSICHE

Grüne Bohnen

3a Obst und Gemüse. Wie heißen die Obst- und Gemüsesorten? Mach eine Liste.

Kennst du ein Wort nicht? Schau mal im Wörterbuch nach!

Kannst du dir weitere Beispiele ausdenken?

3b Vergleich deine Liste mit deinem Partner/deiner Partnerin.

3c Hör zu! Haben sie weitere Beispiele gefunden?

Wie heißt ... auf englisch?

Wie schreibt man das?

3d Welche Obstsorten schmecken dir am besten?
Und was schmeckt deinem Partner/deiner Partnerin am besten?

z.B. Mir schmecken am besten Erdbeeren, Himbeeren und Ananas.

Zu Hause

Nimm auf Kassette auf: Was ich an einem normalen Schultag esse und trinke.

z.B. Zum Frühstück esse/trinke ich ... /nichts und zu Mittag ... usw.

41

2 Das Frühstück

	der Kaffee	
der Aufschnitt	die Kaffeesahne	der Saft
das Brot	der Käse	das Salz
das Brötchen	die Marmelade	der Schinken
die Butter	die Milch	die Schoko
ein gekochtes Ei	das Müsli	der Tee
der Honig	Nutella	die Wurst
der Joghurt	der Quark	der Zucker

1a Zu zweit: Der Frühstückstisch. Was gibt es zum Frühstück zu Hause und im Hotel?

z.B. Im Hotel gibt es … und zu Hause gibt es … .

1b Finde davon fünf Sachen, die dein Mitschüler bzw. deine Mitschülerin gern ißt oder trinkt:

> Ißt du gern ein gekochtes Ei? · Nein.

> Trinkst du gern Kaffee? · Ja.

Mach eine Liste:
Er/Sie ißt/trinkt … gern.

1c Zu zweit: Was eßt/trinkt ihr gern/nicht gern zu Mittag?

Frag deinen Mitschüler bzw. deine Mitschülerin: „Was ißt/trinkst du (nicht) gern zu Mittag?"

> Ich esse/trinke … (nicht) gern.

Schreib es auf.
Er ißt/trinkt … (nicht) gern.

1d Was meinst du? Was hat der Gast gegessen und getrunken?

z.B. Er hat … gegessen, und … getrunken.

Vergleich deine Antwort mit deinem Partner/deiner Partnerin.

2a Zu zweit: Wir essen zu viert. Was fehlt?

die Gabel (n)

das Glas (¨er)

der Löffel (–)

das Messer (–)

die Schüssel (n)

die Tasse (n)

der Teller (–)

der Untersetzer (–)

Einzahl	Mehrzahl
eine Tasse	zwei Tassen

2b Hör zu! Susan deckt den Tisch. Was braucht sie? Schreib alles auf.

2c Zu zweit. Rollenspiel.
Ihr deckt den Tisch
zum Frühstück.

Reich mir bitte

Wo sind sie?   In der Schublade.

Hast du ?

Nein, noch nicht. Kannst du mir noch   reichen?

Ja. Wo sind die   ?

In der Spülmaschine vielleicht. Was brauchen wir noch?

Wo ist   MILCH   ?

Im Kühlschrank.   Ißt du Cornflakes?   Ja.

Dann brauchen wir noch

Gut. Jetzt sind wir fertig.

Aber nein … wir haben keine

Zu Hause

Du hast Besuch aus Deutschland.
Erklär Johannes, was es bei euch zum Frühstück gibt.

z.B. Was möchtest du essen und trinken? Wir haben …

Erklär ihm, was „scrambled eggs" und „kippers"
sind und wie man „Marmite" ißt.

schmieren = *to spread*
das Brot = *bread*

3 Sich gesund ernähren

1a Zu zweit: Eiweiß, Fett oder Kohlenhydrate. Wo gehören
die Lebensmittel hin?

Eiweiß	Fett	Kohlenhydrate

Bananen	Kartoffeln
Brot	Käse
Butter	Milch
Eier	Öl
Fleisch	Tomaten
Joghurt	Zucker

Könnt ihr euch weitere Beispiele überlegen?

1b Vergleicht eure Liste mit der Liste von einem anderen Schülerpaar.

Habt ihr das richtig gemacht? ⟨ Bananen? Kohlenhydrate? ⟩   ⟨ Ja. Das stimmt. Zucker? ⟩

⟨ Das weiß ich nicht. Wer weiß, was Zucker ist? ⟩

4K 2E 1F Eine Formel zur gesunden Ernährung

Jeden Tag sollte man folgendes zu sich nehmen:

4 Portionen Kohlenhydrate

Eine Portion gekochtes Gemüse: Blumenkohl,
Bohnen, Karotten usw.

Eine Portion Rohkost: Salat, Obst, Sellerie usw.

Eine Portion Getreide usw.: Vollkornbrot, Brot,
Linsen, Teigwaren, Reis usw.

Eine Portion Süßes: Honig, Marmelade,
Gebäck usw.

2 Portionen Eiweiß

Milchprodukte: Milch, Joghurt, Käse usw.

Andere: Fleisch, Fisch, Eier usw.

1 Portion Fett

Butter, Margarine, Pflanzenöl usw.

2a Lesen und Verstehen. Kennst du ein
Wort nicht? Schau mal im
Wörterbuch nach!

2b Mach eine Liste. Nenne fünf
Nahrungsmittel, die gesund sind, und
fünf, die ungesund sind. Vergleiche
deine Liste mit einem Mitschüler bzw.
einer Mitschülerin.

z.B. Stimmt, das ist gesund.
Stimmt nicht: ... ist ungesund.

2c Stell dir einen Speiseplan 4K 2E 1F für
einen Tag zusammen.

Frühstück	Mittag	Abend

2d Zu zweit. Vergleich deinen Speiseplan mit einem
Mitschüler/einer Mitschülerin. Habt ihr das richtig gemacht?

2e Hör zu! Was essen Jens und Renate?
Was ißt er/sie zu den verschiedenen Mahlzeiten? Mach eine Liste.

2f Rat geben. Was sollten sie machen?

Schreib es auf, und vergleich deinen Rat mit deinem Partner/deiner Partnerin.

	ißt zu viel/zu wenig		
Er		es	zu viel Zucker darin gibt / zu fetthaltig ist
Sie	sollte mehr/weniger .... essen, weil	er / sie	zu viel Eiweiß ißt / mehr Vitamine braucht

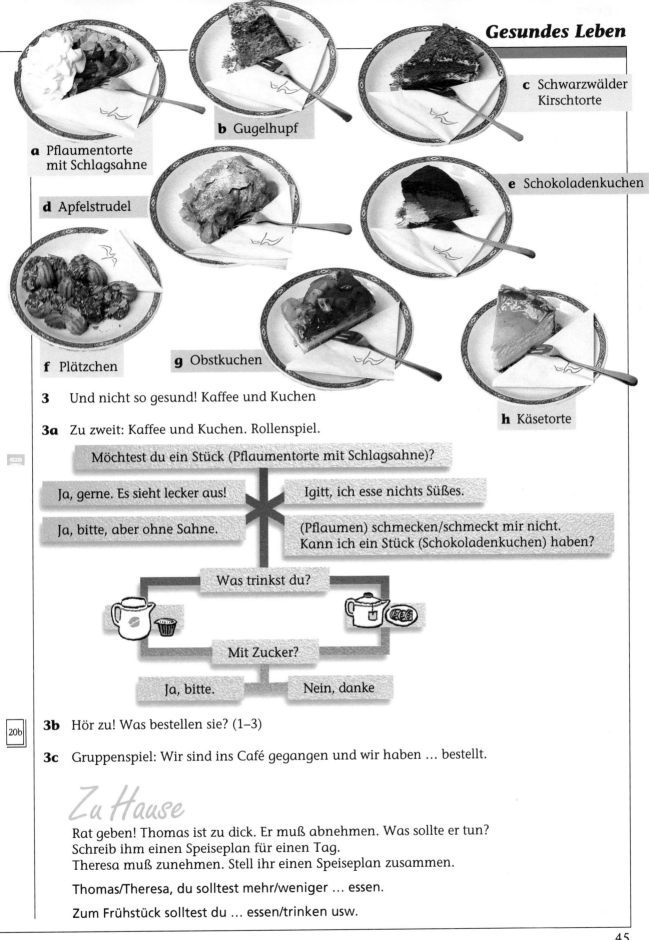

c Schwarzwälder Kirschtorte

b Gugelhupf

a Pflaumentorte mit Schlagsahne

e Schokoladenkuchen

d Apfelstrudel

f Plätzchen

g Obstkuchen

h Käsetorte

3 Und nicht so gesund! Kaffee und Kuchen

3a Zu zweit: Kaffee und Kuchen. Rollenspiel.

> Möchtest du ein Stück (Pflaumentorte mit Schlagsahne)?

> Ja, gerne. Es sieht lecker aus!

> Igitt, ich esse nichts Süßes.

> Ja, bitte, aber ohne Sahne.

> (Pflaumen) schmecken/schmeckt mir nicht. Kann ich ein Stück (Schokoladenkuchen) haben?

> Was trinkst du?

> Mit Zucker?

> Ja, bitte.

> Nein, danke

3b Hör zu! Was bestellen sie? (1–3)

3c Gruppenspiel: Wir sind ins Café gegangen und wir haben … bestellt.

Zu Hause

Rat geben! Thomas ist zu dick. Er muß abnehmen. Was sollte er tun?
Schreib ihm einen Speiseplan für einen Tag.
Theresa muß zunehmen. Stell ihr einen Speiseplan zusammen.

Thomas/Theresa, du solltest mehr/weniger … essen.

Zum Frühstück solltest du … essen/trinken usw.

Tageskarte

Vorspeisen

1.	Tagessuppe	4,50 DM
2.	Tomatencremesuppe	4,50 DM
3.	Grönlandshrimps in Knoblauchbutter	12,60 DM

Kleine Gerichte

4.	Kleiner Salatteller	6,80 DM
5.	Hawaii Toast	5,80 DM
6.	Käse-, Schinken- oder Salami-Brötchen	2,80 DM
7.	Champignonomelett m. Kräuterbutter	4,20 DM
8.	Gebratener Camembert m. Preiselbeeren	4,50 DM

Tagesgerichte

9.	Großer Salatteller	11,50 DM
10.	Wiener Schnitzel, Pommes frites und Salat	13,50 DM
11.	½ Hähnchen m. Reis und grünen Bohnen	12,80 DM
12.	Lammkoteletts, junge grüne Bohnen, Salzkartoffeln	13,40 DM
13.	Eisbein auf Sauerkraut	15,50 DM
14.	Gebratenes Schweinefilet m. Bandnudeln und Champignons	14,80 DM
15.	Ungarisches Gulasch mit Salzkartoffeln und Salat	13,70 DM

Desserts

16.	Apfelstrudel mit Sahne	5,60 DM
17.	Eisbecher m. Sahne	5,60 DM
18.	Käseplatte	4,20 DM

Getränke

19.	Mineralwasser	1,40 DM
20.	Coca Cola	1,40 DM
21.	Fanta	1,40 DM
22.	Orangensaft	1,60 DM
23.	Apfelsaft	1,60 DM
24.	Tasse Kaffee	2,20 DM
25.	Kaffee koffeinfrei	2,20 DM
26.	Glas Tee	2,20 DM

1a Hör zu! Was bestellen sie? (1–4)

z.B. 1: 10, …

1b Was würdest du bestellen für …? Schreib es auf!

i. jemanden, der Vegetarier ist
ii. der nichts Süßes ißt
iii. der keine Milchprodukte ißt
iv. der Schweinefleisch nicht gern ißt
v. dich
vi. deinen Partner/deine Partnerin

1c Vergleich deine Antworten mit deinem Partner/deiner Partnerin:

z.B. (Was hast du für den Vegetarier bestellt?)

1d Zu zweit: Rollenspiel

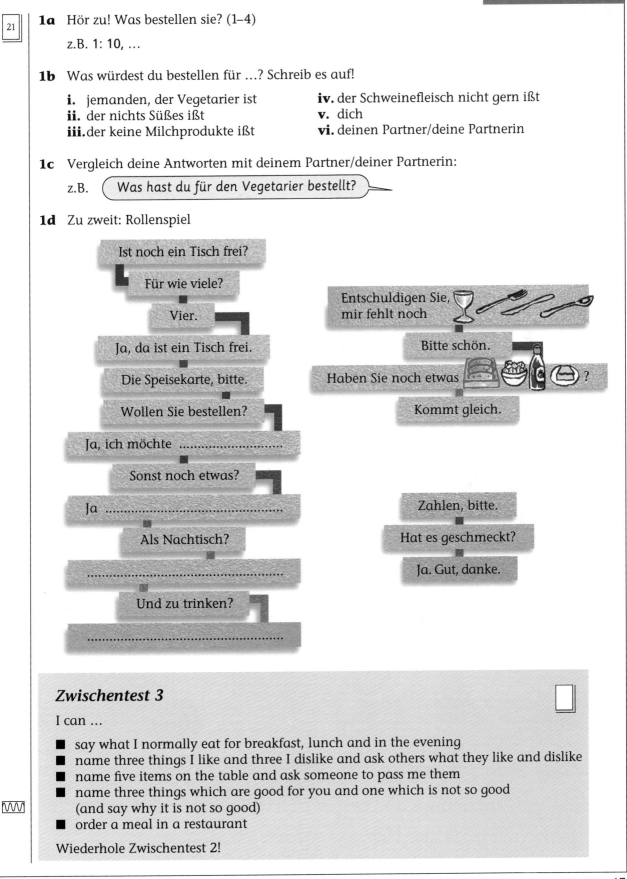

Ist noch ein Tisch frei?

Für wie viele?

Vier.

Ja, da ist ein Tisch frei.

Die Speisekarte, bitte.

Wollen Sie bestellen?

Ja, ich möchte ....

Sonst noch etwas?

Ja ....

Als Nachtisch?

....

Und zu trinken?

....

Entschuldigen Sie, mir fehlt noch

Bitte schön.

Haben Sie noch etwas ?

Kommt gleich.

Zahlen, bitte.

Hat es geschmeckt?

Ja. Gut, danke.

Zwischentest 3

I can …

- say what I normally eat for breakfast, lunch and in the evening
- name three things I like and three I dislike and ask others what they like and dislike
- name five items on the table and ask someone to pass me them
- name three things which are good for you and one which is not so good
  (and say why it is not so good)
- order a meal in a restaurant

Wiederhole Zwischentest 2!

Wußtest du das?

Jedes Jahr wirft die deutsche Durchschnittsfamilie folgendes weg:

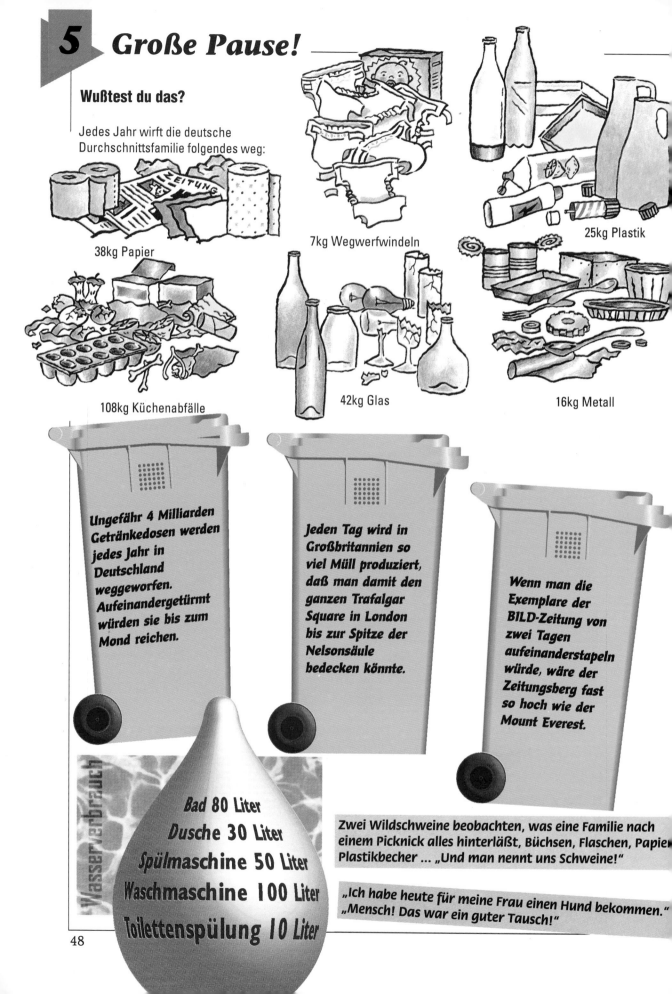

38kg Papier

108kg Küchenabfälle

7kg Wegwerfwindeln

42kg Glas

25kg Plastik

16kg Metall

Ungefähr 4 Milliarden Getränkedosen werden jedes Jahr in Deutschland weggeworfen. Aufeinandergetürmt würden sie bis zum Mond reichen.

Jeden Tag wird in Großbritannien so viel Müll produziert, daß man damit den ganzen Trafalgar Square in London bis zur Spitze der Nelsonsäule bedecken könnte.

Wenn man die Exemplare der BILD-Zeitung von zwei Tagen aufeinanderstapeln würde, wäre der Zeitungsberg fast so hoch wie der Mount Everest.

Wasserverbrauch

Bad 80 Liter
Dusche 30 Liter
Spülmaschine 50 Liter
Waschmaschine 100 Liter
Toilettenspülung 10 Liter

Zwei Wildschweine beobachten, was eine Familie nach einem Picknick alles hinterläßt, Büchsen, Flaschen, Papier, Plastikbecher ... „Und man nennt uns Schweine!"

„Ich habe heute für meine Frau einen Hund bekommen." „Mensch! Das war ein guter Tausch!"

die Wanne = *bathtub*
die Seife = *soap*
niesen = *to sneeze*

mißtrauisch = *suspicious*
abgemacht = *agreed*
das Handtuch = *towel*

6 Mach dich fit!

1a Brainstorming. Wie viele Sportarten könnt ihr nennen?

1b Hör zu! Und wie viele Sportarten können wir nennen?

> Wie heißt Ringen auf englisch?   Was ist Bogenschießen?

2 Zu zweit: Was spielt man? Welche Sportarten werden hier erwähnt?

z.B. a ist … .   Stimmt/Stimmt nicht, a ist … .

50

3a Hör zu! Was machen die Schüler gern,
was machen sie nicht gern,
und was würden sie gerne lernen?

Björn	Elisabeth
Christian	Ines
Dilek	Katrin

3b Und du? Was machst du gern und nicht gern,
und was würdest du gerne lernen?
Schreib es auf!

Ich … gern, … nicht gern und würde gerne … lernen.

3c Mach eine Umfrage. Was würdet ihr gerne lernen?

Interviewe deine Mitschüler: „Was würdest du gern lernen?"

Ich würde …

Zeichne ein Schaubild und schreib einen Bericht:

In unserer Klasse gibt es … Schüler, die … lernen möchten,
Kein Schüler will … lernen.

4a Carina hat Gisela interviewt. Wie hießen die Fragen?

a Tennis spiele ich sehr gern.
b Fußball kann ich nicht leiden.
c Tischtennis spiele ich lieber als Badminton.
d Radfahren ist in Ordnung.
e Im Winter gehe ich am liebsten Ski fahren.
f Ich würde gern Paragleiten lernen.

4b Stell die Fragen an einen Mitschüler bzw. eine Mitschülerin.
Schreib die Antworten auf.

z.B. Er/Sie spielt/macht/würde …

Zu Hause

Welche Sportarten kann man in eurer Schule machen?

Und welche Sportarten treibt man in eurer Gegend außerhalb der Schule?

z.B. In der Schule machen/spielen/gehen wir …
Und außerhalb der Schule kann man … machen/spielen/gehen.

Freizeit
Tennis Center
Kramsfeld

Das Freizeit- und Tenniscenter mit 3 Hallen- und 5 Freiplätzen.
Sie können Spielzeiten von 8.00 Uhr bis 24.00 Uhr als Einzelstunden
oder im Abonnement wählen.

Einzelpreis pro Platz pro Stunde
  8.00 bis 12.00 Uhr .... S 180,-
12.00 bis 16.00 Uhr .... S 200,-
16.00 bis 22.00 Uhr .... S 240,-
22.00 bis 24.00 Uhr .... S 180,-

Fünferblock .... S 800,-

Abonnement 6 Monate 1 Stunde je Woche
  8.00 bis 12.00 Uhr .... S 3 500,-
12.00 bis 16.00 Uhr .... S 4 200,-
16.00 bis 22.00 Uhr .... S 5 400,-
22.00 bis 24.00 Uhr .... S 3 500,-

Alle Preise inklusive Mehrwertsteuer, Preisänderung vorbehalten!
1 Stunde = 60 Minuten

Tennistrainer

Privatstunden S 400,- pro Stunde 10 Std. S 3 500,-
Anfängerkurs 10 Std. 1 500,- (4 Personen)
Anschlußkurs 10 Std. 2 000,- (2 Personen)
1 Trainerstunde = 45 Minuten

1a Zu zweit: Stellt euch gegenseitig die Fragen.

A
Wann kann man Tennis spielen?
Wieviel kostet es um 11.00 Uhr?
Um wieviel Uhr ist es am billigsten?
Wieviel kostet eine Fünferkarte?
Wieviel kostet eine Privatstunde?

B
Wie viele Plätze gibt es draußen?
Wieviel kostet es um 15.00 Uhr?
Um wieviel Uhr ist es am teuersten?
Wieviel kostet ein Abo für vormittags?
Wieviel kostet eine Trainerstunde?

1b Hör zu! **i.** Wer will spielen? Schreib die Namen auf.
        ii. Um wieviel Uhr wollen sie spielen? Was kostet es?

Andreas	Karl	Tanja
Heike	Christel	Petra
	Stefanie	

2a Was braucht man zum Tennisspielen? Schreib es auf!

z.B. Man braucht einen Schläger.

	Mask.	Fem.	Neutr.	Pl.
Man braucht	einen	eine	ein	mehrere

der Schläger (–)
der Ball (¨e)
der Platz (¨e)
der Schuh (e)
das Polohemd (en)

2b Was braucht man zum Fußballspielen, zum Tanzen, zum Angeln usw.?

Kennst du ein Wort nicht? Schlag im Wörterbuch nach!

i. Wähl eine Sportart aus und schreib eine Liste, was man alles braucht.
ii. Besprich deine Liste mit einem Mitschüler/einer Mitschülerin.

Was hast du vergessen? Was hat er/sie vergessen?

Du hast keinen Ball/keine Stiefel/kein Hemd.   Man braucht noch eine Angelrute.

3a Zu zweit, abwechselnd. Was hat Torsten gespielt/gemacht?

z.B. Er ist radgefahren.

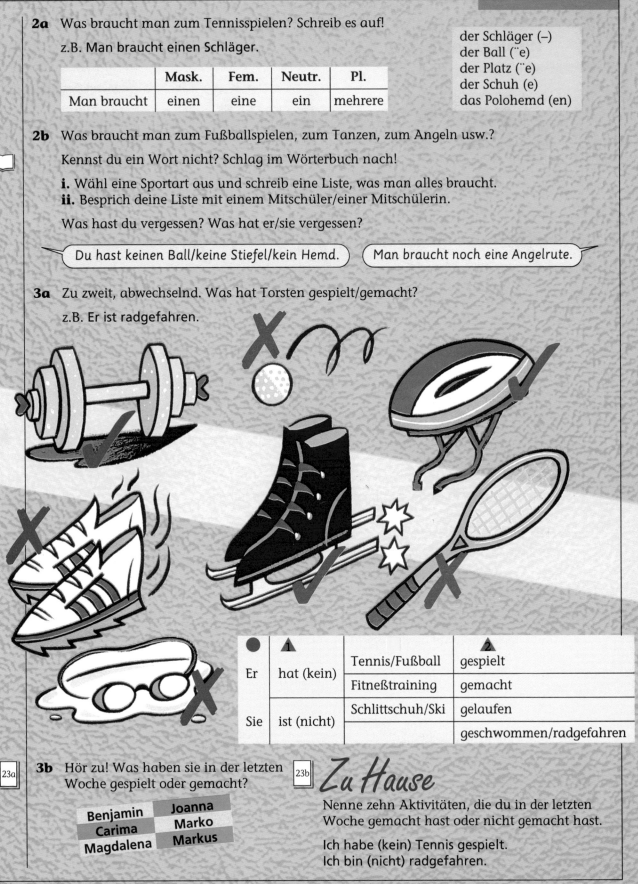

Er	hat (kein)	Tennis/Fußball	gespielt	
		Fitneßtraining	gemacht	
Sie	ist (nicht)	Schlittschuh/Ski	gelaufen	
			geschwommen/radgefahren	

3b Hör zu! Was haben sie in der letzten Woche gespielt oder gemacht?

Benjamin Joanna
Carima Marko
Magdalena Markus

23a

23b *Zu Hause*

Nenne zehn Aktivitäten, die du in der letzten Woche gemacht hast oder nicht gemacht hast.

Ich habe (kein) Tennis gespielt.
Ich bin (nicht) radgefahren.

8 Es schneit

Wintersportarten

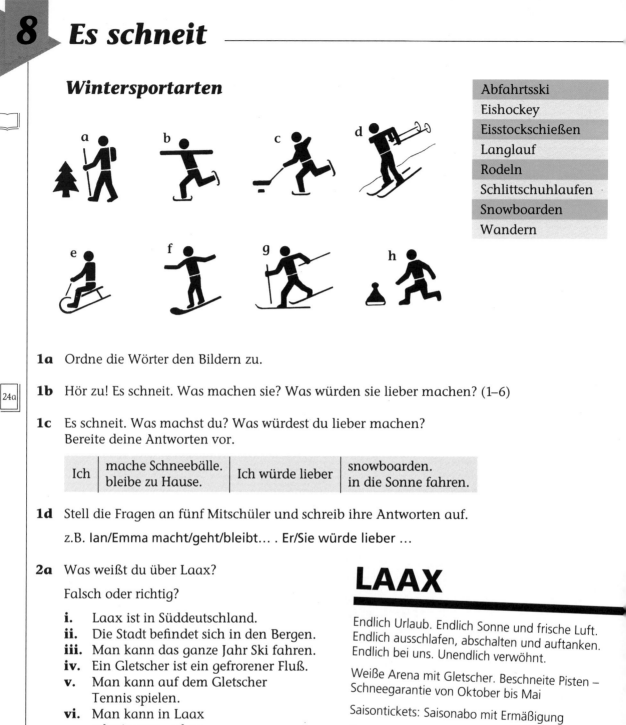

| Abfahrtsski |
| Eishockey |
| Eisstockschießen |
| Langlauf |
| Rodeln |
| Schlittschuhlaufen |
| Snowboarden |
| Wandern |

1a Ordne die Wörter den Bildern zu.

1b Hör zu! Es schneit. Was machen sie? Was würden sie lieber machen? (1–6)

1c Es schneit. Was machst du? Was würdest du lieber machen?
Bereite deine Antworten vor.

| Ich | mache Schneebälle. bleibe zu Hause. | Ich würde lieber | snowboarden. in die Sonne fahren. |

1d Stell die Fragen an fünf Mitschüler und schreib ihre Antworten auf.

z.B. Ian/Emma macht/geht/bleibt… . Er/Sie würde lieber …

2a Was weißt du über Laax?

Falsch oder richtig?

i. Laax ist in Süddeutschland.
ii. Die Stadt befindet sich in den Bergen.
iii. Man kann das ganze Jahr Ski fahren.
iv. Ein Gletscher ist ein gefrorener Fluß.
v. Man kann auf dem Gletscher Tennis spielen.
vi. Man kann in Laax schwimmen gehen.
vii. Es gibt einen großen Flughafen.

2b Verbessere die falschen Sätze.

LAAX

Endlich Urlaub. Endlich Sonne und frische Luft. Endlich ausschlafen, abschalten und auftanken. Endlich bei uns. Unendlich verwöhnt.

Weiße Arena mit Gletscher. Beschneite Pisten – Schneegarantie von Oktober bis Mai

Saisontickets: Saisonabo mit Ermäßigung

Bergrestaurant mit Bedienung und Sternbar

Schweizer Ski- und Snowboardschule

Gleitschirmschule Sky-Center

Bergsteigerschule

Parking 1200 Plätze

Sportzentrum (m. Hallenbad, Tennisplätzen und Fitneßraum)

3 Suchspiel: Finde jemanden in der Klasse, der …

… Ski fahren kann   … Schlittschuh laufen kann
… Ski fahren lernen möchte   … Schlittschuh laufen lernen möchte
… nie Ski gefahren ist   … Schnee nicht leiden kann
… im Dezember Geburtstag hat   … Bernhardinerhunde mag

Bilde die Fragen!

z.B.

Kannst du Ski fahren?

Duzen	Siezen
Kannst du …?	Können Sie …?
Möchtest du …?	Möchten Sie …?
Bist du …?	Sind Sie …?
Hast du …?	Haben Sie …?
Magst du …?	Mögen Sie …?

John kann …

Susan möchte …

Nigel ist …

Karen hat …

Harry mag (keine) Hunde.

Zu Hause

Mach ein Interview: Überleg dir noch acht Fragen
und nimm das Interview auf Kassette auf.
N.B. Duzen oder Siezen?

I can ...

1	say what I normally eat for breakfast, lunch and in the evening:	Zum Frühstück/Zu Mittag/Zu Abend esse ich ... und trinke ... .
2	name three things I like and three I dislike:	Ich esse/trinke gern ... und nicht gern ... .
3	and ask others what they like and dislike:	Was ißt/trinkst du gern/nicht gern?
4	name five items on the table and ask someone to pass me them:	Reich mir bitte den/die/das ... .
5	name three things which are good for you and one which is not so good	... sind gesund und ... sind nicht gesund.
	and say why it is not so good:	... ist nicht gut, weil es zu .... ist.
6	order a meal in a restaurant:	Ich möchte Schnitzel mit Pommes Frites.
7	name five types of sport and say which sports I like, and dislike:	Ich mache gern ... und nicht gern ... .
8	name one new activity that I would like to learn:	Ich würde gerne ... lernen.
9	prepare five questions in the Du-form and in the Sie-form:	Wie heißt du? Wie heißen Sie? Spielst du/Spielen Sie gern Tennis? Ißt du/Essen Sie lieber ... oder ... ?

Wiederholung

A Was weißt du über Jessica?

B Wie hießen die Fragen?

Name ..... Jessica Molte

Alter ..... 14 Jahre alt

Geburtstag 18.8

Sternzeichen ..... Löwe

Wohnort ..... Laax

Geburtsort ..... Flims

Lieblingsfächer ..... Englisch, Kunst

Lieblingsfarbe ..... rot

Lieblingsmusik ..... Pop, Rock, Jazz

Lieblingssportler ..... Vreni Schneider

Lieblingsgericht ..... Nudeln

Hobbys ..... schlafen, essen, Ski laufen, Badminton spielen

Worauf ich mich freue: ..... den Schnee, die Ferien und meinen Geburtstag

Wovor ich Angst habe: ..... Spinnen, Krieg und Kernkraftunfälle

Wenn ich viel Geld hätte ..... würde ich nach Florida reisen, weil dort das Wetter sehr schön ist und man viel unternehmen kann.

C Interviewe einen Mitschüler/eine Mitschülerin:

> Wie schreibt man das?

> Ich verstehe nicht. Langsamer, bitte!

> Wird das groß/mit doppel „m" geschrieben?

> Kannst du das bitte wiederholen?

> Nochmal!

D Interviewe einen Erwachsenen. Wie heißen jetzt die Fragen?

Aktuelles!

1 *Klamotten*

1a Brainstorming. Wie viele Kleidungsstücke kannst du in zwei Minuten nennen? Schreib sie auf!

1b Hör zu! Wie viele können wir nennen? Schreib die neuen Wörter auf deine Liste.

> Was ist ... ?   Wie heißt ... auf englisch?   Wie schreibt man ... ?

1c Der, die oder das? Weißt du das nicht? Schau mal im Wortschatz nach!

Anzug	Hose	Jacke	Mantel	Pulli
Hemd	Hut	Kleid	Mütze	Rock

1d Wie heißen die Kleidungsstücke? Der, die oder das? Woher weißt du das? Kannst du eine Regel finden?

z.B. die Hose – die Badehose

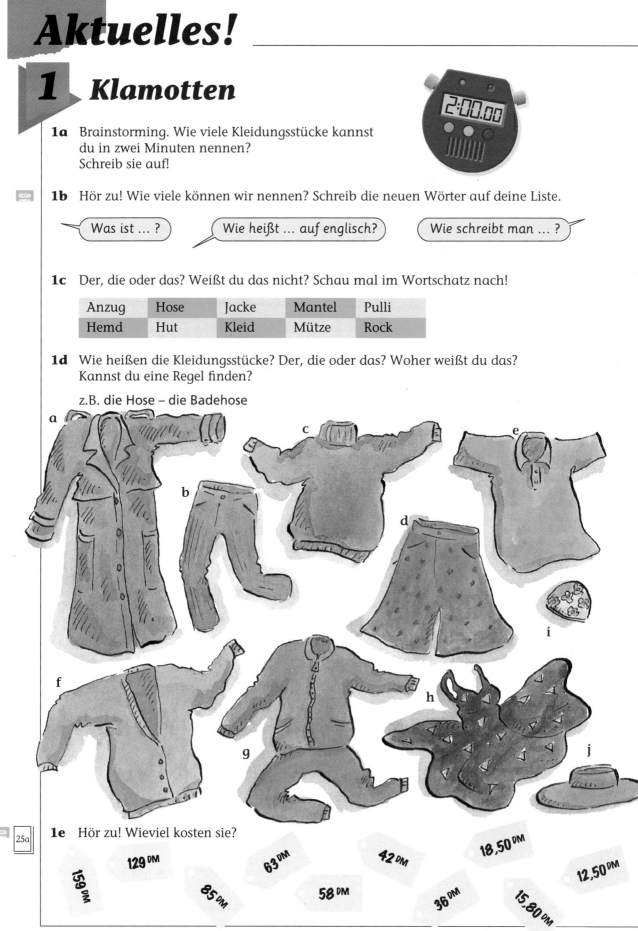

1e Hör zu! Wieviel kosten sie?

159 DM   129 DM   63 DM   42 DM   18,50 DM   12,50 DM

85 DM   58 DM   36 DM   15,80 DM

58

25b

2a Hör zu! Welche Farbe bevorzugen sie, und welche Farbe haben sie nicht gern?

rot   rosarot   dunkelblau
hellblau   türkis   weiß   grün
schwarz   grau   gelb   braun

2b Was tragen sie?

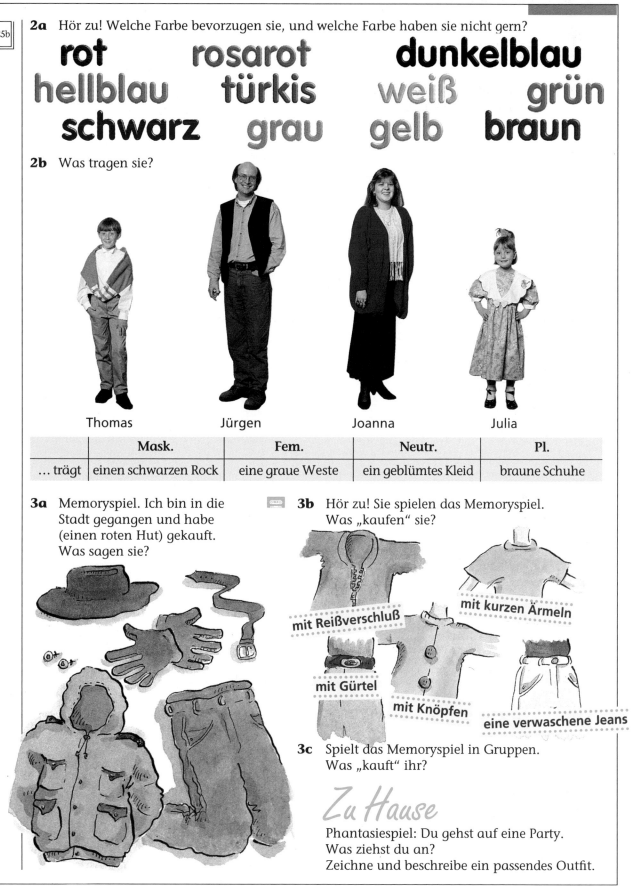

| | Thomas | Jürgen | Joanna | Julia |

	Mask.	**Fem.**	**Neutr.**	**Pl.**
… trägt	einen schwarzen Rock	eine graue Weste	ein geblümtes Kleid	braune Schuhe

3a Memoryspiel. Ich bin in die Stadt gegangen und habe (einen roten Hut) gekauft. Was sagen sie?

3b Hör zu! Sie spielen das Memoryspiel. Was „kaufen" sie?

mit Reißverschluß

mit kurzen Ärmeln

mit Gürtel

mit Knöpfen

eine verwaschene Jeans

3c Spielt das Memoryspiel in Gruppen. Was „kauft" ihr?

Zu Hause

Phantasiespiel: Du gehst auf eine Party.
Was ziehst du an?
Zeichne und beschreibe ein passendes Outfit.

2 Modeschau

Isabella trägt lässige Klamotten: ein Karohemd aus Baumwolle über handgestricktem kurzem blauem Pulli und eine blaue verwaschene Jeans.

a

c

d

Bernd zieht sich klassisch an. Er trägt eine dunkle Jacke aus Wolle, eine dunkelgraue Hose auch aus Wolle, ein gestreiftes Hemd aus Baumwolle und eine Fliege.

Monikas lilafarbenes Sommerkleid ist aus Baumwolle und Lycra und sie trägt es mit einem Schal aus Spitze.

Jörg zieht sich sportlich an. Seine kurze Hose ist aus Baumwolle, sein Sweatshirt auch und sein grüner Pulli aus reiner Wolle.

b

1a Wie heißen sie?

1b Was meinst du? Wem gehören die Schuhe?

z.B. Die schwarzen Trainingsschuhe gehören …

Trainingsschuhe   **Schnürschuhe**   **Basketballschuhe**   **Schuhe mit hohem Absatz**

1c Aktuelles aus der Mode.

Entweder: **a.** Zeichne und beschreibe ein Model …

oder   **b.** Stell eine Seite für ein Magazin, „Die Mode heute", zusammen.

2a Hör zu! Was gefällt ihnen und was gefällt ihnen nicht?

2b Was gefällt dir? Wähl vier Kleidungsstücke aus.
Was findest du gut an ihnen?

Der blaue Pulli		weil er breit ist.
Die verwaschene Jeans	gefällt mir,	weil sie bequem ist.
Das gestreifte Hemd		weil es klassisch ist.
Die roten Schuhe	gefallen mir,	weil ich die Farbe mag.

bequem = *comfortable*
chic = *fashionable*
lässig = *casual*

… Und was gefällt dir nicht? Warum?

zu groß
zu klein
zu eng
zu weit
zu altmodisch
zu modern
zu bunt

Der Pulli		weil er	zu weit ist.
Die Hose	gefällt mir nicht,	weil sie	zu eng ist.
Das Kleid		weil es	zu bunt ist.

2c Zu zweit: Vergleich deine Antworten mit einem/r Partner(in).
Habt ihr den gleichen Geschmack oder nicht?

z.B.

Wie findest du den/die/das…?

Gut/Nicht gut/Ich habe keine Meinung.

Ich mag (lässige) Kleidung, er/sie
mag lieber Kleidung, die (chic) ist.

Wir beide mögen …

2d Was findest du am besten?
Finde jemanden mit dem gleichen Geschmack wie du.

z.B. Mir gefällt (die Jacke) am besten. Was gefällt dir am besten?
Ihm/Ihr gefällt auch der/die/das … am besten.

Zu Hause

Was ist dein Lieblingsoutfit? Warum?

Ich trage am liebsten einen/eine/ein … usw.

3 Die Schuluniform

1a Was tragen Paul und Joanna in der Schule?

Er/Sie trägt Ich trage	**einen** schwarz**en** Pulli/gestreift**en** Schlips/dunkelblau**en** Rock
	eine weiß**e** Bluse/schwarz**e** Jacke
	ein rot**es** Hemd
	schwarz**e**/braun**e** Schuhe

1b Was trägst du in der Schule? Was tragen die Jungen und die Mädchen?

z.B. Ich trage.... Die Jungen/Die Mädchen tragen …

1c Hör zu! Wie heißen sie? Was ziehen sie heute an?

Holger
Lars
Markus
Sebastian
Stefan
Torsten

Man sollte sich so anziehen, wie es einem gefällt, und nicht, wie die Schule vorschreibt.

Helga

Ich finde eine Schuluniform gut, weil man immer weiß, was man anziehen muß.

Nicola

Alle Schüler sehen gleich aus, das finde ich langweilig. _Ileana_

In der Schule braucht man bequeme lässige Kleider. _Natascha_

Ich finde es nicht gut, weil es so eintönig in der Schule ist.

Alex

Es ist zu teuer, wenn man noch für die Schule Kleider kaufen muß. _Uwe_

Ob man reich oder arm ist, sieht man nicht, das finde ich gut.

Mathias

2a Was meinen sie? Wer ist dafür und wer ist dagegen ?

z.B. (Nicola) ist dafür/dagegen.

ob = _whether_

Sie ist gut. Sie ist eintönig. Sie ist zu teuer. Sie ist langweilig.

2b Was sind die Vor- und Nachteile?

Die Vorteile sind, man weiß, was …
Die Nachteile sind, …

2c Was meinst du? Wie findest du eine Schuluniform? 〰 Warum?

z.B. Ich finde eine Uniform …, 〰 weil …

2d Halte einen Vortrag: Die Schuluniform.

z.B. In unserer Schule trägt man/tragen die Jungen/die Mädchen …
Ich finde eine Schuluniform gut/nicht gut, weil …

2e Finde jemanden, der derselben Meinung ist wie du:

Stell die Frage: „Wie findest du eine Schuluniform?" 〰 „Warum?"

z.B. (James) findet eine Uniform auch …, 〰 weil … .

3 Wann würdest du so was tragen?

Ich würde … tragen, wenn es kalt/heiß ist.
wenn es regnet.
wenn ich in die Stadt gehe usw.

einen Neoprenanzug   einen Badeanzug
Gummistiefel

Kannst du dir fünf weitere Beispiele überlegen?   eine Sonnenbrille   einen Regenmantel

weiße Trainingsschuhe   eine Wollmütze

Zu Hause
Zeichne und beschreibe eine „Schuluniform" für das Jahr 2100.

Verlorenes

4

Schwarze Adidas Turnschuhe, Größe 43, verloren, bitte bei Rolf Wessel 8b abgeben

Rotes Federetui, innen gelb gefüttert mit schwarzem Füller, Farbstiften, Taschenrechner usw. Beate Lorei 7c

Weiße Reebok Turnschuhe, Größe 39, mit rosarotem Futter im Umkleideraum liegengelassen. Hat sie jemand aus Versehen mitgenommen? Tanja Schulte 8a

Schwarzes Lederportemonnaie mit Schülerausweis und Fahrradschlüssel auf dem Schulhof verloren, Inhalt ca 20.-DM, Finder erhält Belohnung. Monika Tewes 9a

Wer hat meinen dunkelgrünen Naf-Naf Pulli im Umkleideraum vor der Turnhalle gefunden? Bitte bei Katrin Franke 6b abliefern

Schwarze Schultasche mit roten Trägern, Sportsachen darin: schwarze Shorts, gelbes Fußballtrikot, schwarze Socken, Fußballschuhe, Handtuch und Shampoo. Karl Neubert 10c

1a Falsch oder richtig?

    i. Rolf ist in der Klasse 7c

    ii. Beate hat ihren Taschenrechner verloren

    iii. Tania hat den Umkleideraum verloren

    iv. Monika hat ihr Fahrrad verloren

    v. Katrins Pulli ist rot

    vi. Karl hat sein Portemonnaie verloren

1b Verbessere die falschen Sätze.

1c Hör zu! Was wurde schon gefunden? z.B. **Rolfs Turnschuhe**

1d Stell dir vor, du hast deine Schultasche verloren.
Entwirf eine entsprechende Mitteilung fürs Schwarze Brett.

2a Hör zu! Was haben sie verloren? Füll die Formulare für sie aus.

27

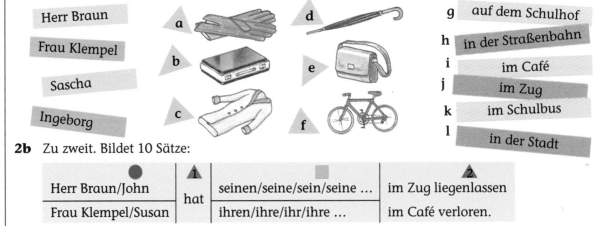

Herr Braun

Frau Klempel

Sascha

Ingeborg

a   b   c   d   e   f

g auf dem Schulhof
h in der Straßenbahn
i im Café
j im Zug
k im Schulbus
l in der Stadt

2b Zu zweit. Bildet 10 Sätze:

●	▲		■	▲
Herr Braun/John	hat	seinen/seine/sein/seine …	im Zug liegenlassen
Frau Klempel/Susan		ihren/ihre/ihr/ihre …	im Café verloren.

64

3a Wem gehören die Schultaschen? Was haben sie in ihren Schultaschen? Mach eine Liste.

z.B. **Er/Sie hat einen/eine/ein …**

Vergleich deine Liste mit einem Partner/einer Partnerin.

3b Zu zweit. Was wißt ihr über sie?
Schreibt ein Porträt von ihnen.

Er	heißt/ist/spielt/hat/
Sie	macht/geht (gern) … .

3c Was hast du in deiner Schultasche? Mach eine Liste:

z.B. **In meiner Schultasche habe ich …**

Zwischentest 4

I can …

- ■ describe the clothes I am wearing
- ■ name my three favourite items of clothing and say what they are like
- ◊ and why I like them
- ■ describe our school uniform
- ■ and say whether I think a uniform is good or not ◊ and why.
- ■ describe my own school bag and its contents.

Wiederhole Zwischentest 3!

65

WAS FÜR EIN GEDÄCHTNIS-TYP BIST DU?

Siehe die Bilder und die Wörter zwei Minuten lang an.

Mach das Buch zu und schreib drei Listen auf. Wieviel kannst du noch nennen?

Bilder	Wörter	Bilder u. Wörter

A

Wenn du mehr Bilder nennen kannst: Du hast eine optische Erinnerung. Wenn du etwas verloren hast, siehst du ein Bild von dem Objekt.

Ungünstige Eigenschaft: Leider findest du es schwerer, traurige oder unangenehme Erlebnisse zu vergessen, weil du es wie in einem Film noch sehen und erleben kannst.

Günstige Eigenschaften: Meistens bist du gutmütig und ausgeglichen und hast Verständnis für andere Leute.

die Erinnerung = *memory*
optisch = *visual*

ungünstig = *unfavourable*
günstig = *favourable*
die Eigenschaft = *characteristic*
leider = *unfortunately*
das Erlebnis = *experience*
erleben = *to experience/live through*
gutmütig = *goodnatured*
ausgeglichen = *well-balanced*
das Verständnis = *understanding*
Leute = *people*

B

Wenn du mehr Wörter nennen kannst: Du lebst mehr vom Intellekt als vom Gefühl.

Ungünstige Eigenschaft: Leider hast du weniger Zeit für das Romantische in deinem Leben. Du arbeitest viel und das Leben ist mehr geplant und durchdacht.

Günstige Eigenschaft: Du kannst unangenehme Erlebnisse ausschalten, schlechte Erfahrungen vergessen und an die Zukunft denken und weitermachen.

das Gefühl = *feeling*
geplant = *planned*
durchdacht = *thought out*
unangenehm = *unpleasant*
die Erfahrung = *experience*
ausschalten = *to shut out*
schlecht = *bad*
die Zukunft = *the future*
denken = *to think*
weitermachen = *to continue*

C

Wenn du mehr als 6 von den Kombinationen nennen kannst: Du hast eine besondere Erinnerungsfähigkeit, die dich selbstsicher und selbstbewußt macht.

Ungünstige Eigenschaft: Du meinst, daß du immer recht hast, und du hast weniger Verständnis für andere Leute.

Günstige Eigenschaft: Du kannst Probleme schnell verstehen und lösen.

besonder... = *special*
die Fähigkeit = *capability*
selbstsicher = *self-assured*
selbstbewußt = *self-confident*
lösen = *to solve*

Zum Jux

„Ich war bei Sonjas Lehrerin in der Schule," sagte Frau Braun. „Sie hat mir erzählt, daß unsere Tochter sehr intelligent sei."
„Natürlich," prahlte ihr Mann, „ihre Klugheit hat sie von mir."
„Muß sein," erwiderte Frau Braun, „denn die meine habe ich ja noch."

„Ich war schon als Kleinkind besonders intelligent," prahlte Johannes. „Mit zehn Monaten konnte ich schon laufen."
„Und das nennst du intelligent?" konterte sein Freund. „Ich habe mich drei Jahre lang tragen lassen."

6 Ein normaler Schultag

Mein Tagesablauf

Der Wecker klingelt um 6.30 Uhr. Ich mache gleich Musik an und schlafe wieder ein. Etwa zehn Minuten später klopft mein Vater an meine Tür und sagt, daß das Bad frei ist. Dann stehe ich auf, dusche mich schnell, wasche und föne mir das Haar, ziehe mich an und gehe in die Küche zum Frühstücken. Meistens ziehe ich ein Sweatshirt und eine Jeans an. Ab und zu habe ich keine Zeit zum Essen. Ich trinke eine heiße Schoko und mache mir ein Schulbrot. Dann hole ich meinen Anorak aus dem Schrank und packe meine Schulsachen ein. Mein Vater bringt mich jeden Tag zur Schule außer Donnerstag, wenn ich die erste Stunde frei habe und nicht so früh aufstehen muß. Am Donnerstag fahre ich mit dem Bus zur Schule. Wenn ich nach Hause komme, habe ich immer großen Hunger und gucke gleich in den Kühlschrank, um zu sehen, was es da gibt. Dann mache ich meine Hausaufgaben, und wenn ich damit fertig bin, gucke ich fern oder lese. Um etwa neun Uhr gehe ich schon ins Bett, weil ich so früh aufstehen muß.

Carsten

1a Was macht Carsten? Schreib eine Liste.

z.B. Er steht … /hört … /duscht/ißt … /sieht … /liest … usw.

1b Vergleich deine Liste mit einem Partner/einer Partnerin.

(Was hast du geschrieben?) (Das stimmt.) (Man schreibt es mit Umlaut.)

(Das ist falsch.) (Das wird mit „ie" nicht mit „ei" geschrieben.)

1c Satzbildung. Was machst du? Bilde 10 Sätze:

?	▲	●
Jeden Tag	wache	(…) auf
Um … Uhr	stehe	(…) auf
Dann	wasche	mich
Meistens	ziehe	ich	mich (schnell) an
Ab und zu	esse	…
Danach	packe	… ein
Wenn ich fertig bin,	…	(…)

1d Mein Tagesablauf. Bereite einen Vortrag vor. Schreib es auf!

2a Hör zu! Umfrage in der Klasse 8b. Wann gehen sie ins Bett?

Zeichne das Schaubild ab und vervollständige es …

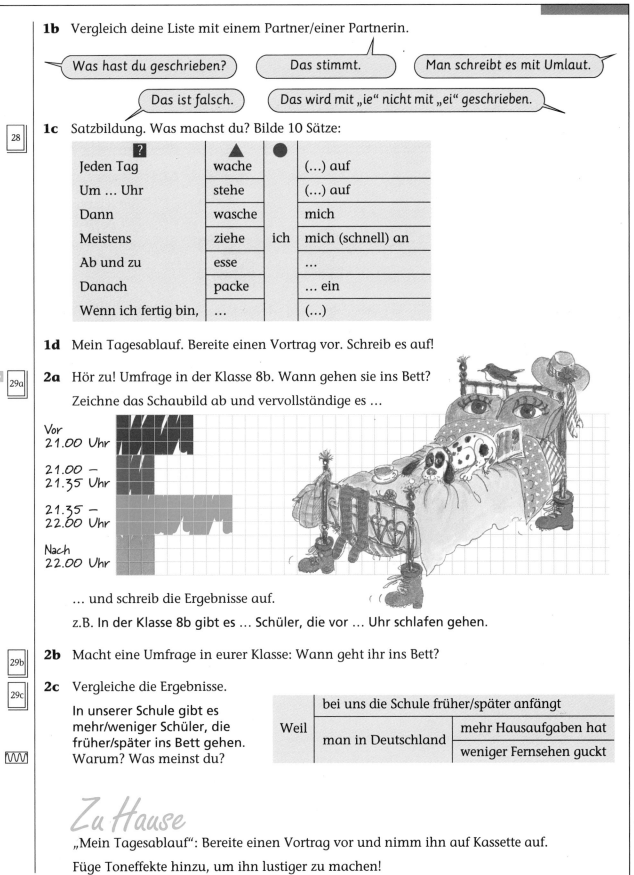

Vor
21.00 Uhr

21.00 —
21.35 Uhr

21.35 —
22.00 Uhr

Nach
22.00 Uhr

… und schreib die Ergebnisse auf.

z.B. In der Klasse 8b gibt es … Schüler, die vor … Uhr schlafen gehen.

2b Macht eine Umfrage in eurer Klasse: Wann geht ihr ins Bett?

2c Vergleiche die Ergebnisse.

In unserer Schule gibt es mehr/weniger Schüler, die früher/später ins Bett gehen. Warum? Was meinst du?

	bei uns die Schule früher/später anfängt	
Weil	man in Deutschland	mehr Hausaufgaben hat
		weniger Fernsehen guckt

Zu Hause

„Mein Tagesablauf": Bereite einen Vortrag vor und nimm ihn auf Kassette auf.

Füge Toneffekte hinzu, um ihn lustiger zu machen!

1a i. Was machst du am liebsten am Wochenende?
   ii. Was machst du sonst noch gern (wähle noch zwei Aktivitäten aus) und
   iii. Was machst du gar nicht gern?

z.B. Was ich am liebsten tue, ist ..., und dann kommen ... usw.
Und was ich gar nicht mag, ist ...

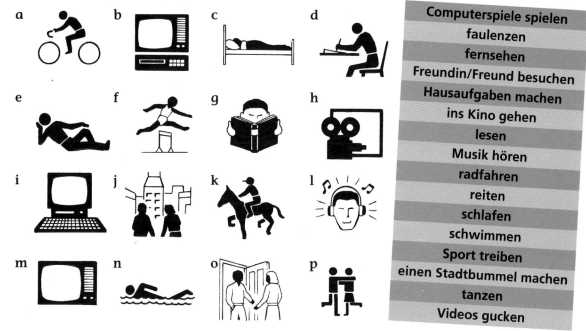

a	b	c	d
e	f	g	h
i	j	k	l
m	n	o	p

Computerspiele spielen
faulenzen
fernsehen
Freundin/Freund besuchen
Hausaufgaben machen
ins Kino gehen
lesen
Musik hören
radfahren
reiten
schlafen
schwimmen
Sport treiben
einen Stadtbummel machen
tanzen
Videos gucken

1b Phantasiespiel: Überleg dir, was
   i. dein Partner/deine Partnerin und
   ii. der Lehrer/die Lehrerin
      ausgewählt hat, und schreib es auf.

z.B. Er/Sie macht am liebsten ...
   und macht sonst noch gern ...
   und was er/sie nicht gern macht, ist ...

1c Hast du richtig geraten? Bereite Fragen vor und mach Interviews.

z.B. (Er/Sie macht am liebsten: fernsehen.)   Siehst du am liebsten fern?
   (Er/Sie macht Sport, usw.... noch gern.)   Treibst du gern Sport?
   (Er/Sie macht Hausaufgaben nicht gern.)   Machst du Hausaufgaben nicht gern?

Fragen stellen:

	Du	Sie	
spielen	Spielst du	Spielen Sie	
besuchen	Besuchst du	Besuchen Sie	
fahren	Fährst du	Fahren Sie	
faulenzen	Faulenzt du	Faulenzen Sie	am liebsten ...?
gucken	Guckst du	Gucken Sie	gern ...?
lesen	Liest du	Lesen Sie	gar nicht gern ... ?
schlafen	Schläfst du	Schlafen Sie	
sehen	Siehst du	Sehen Sie	
treiben	Treibst du	Treiben Sie	

1d Schreib deine Ergebnisse auf:

Wir beide	machen/fahren/spielen …	am liebsten
Ich	mache/fahre/spiele/treibe …	gern
Er/Sie	macht/fährt/spielt/treibt …	gar nicht gern

30a

1e Hör zu! Was machen sie am liebsten ✓, gern – und gar nicht gern ✗?

z.B. 1 ✓ m – c, e ✗ f

Mit wem würdest du am besten auskommen?

z.B. Ich würde am besten mit … auskommen.

Warum? Weil er/sie auch gern …

1 Britta	4 Sascha
2 Oliver	5 Nathalie
3 Martin	6 Bettina

30b

2a Schreib auf! Was hast du letztes Wochenende gemacht?

Ich	habe …	gemacht/gespielt/gelesen/gehört usw.
	bin …	gegangen/gefahren

2b Finde heraus, was dein Partner/deine Partnerin gemacht hat. Stell Fragen …

z.B.

> Hast du Hausaufgaben/Computerspiele gemacht?

> Bist du in die Stadt gegangen?

30c

2c Hör zu! Was haben sie gemacht?

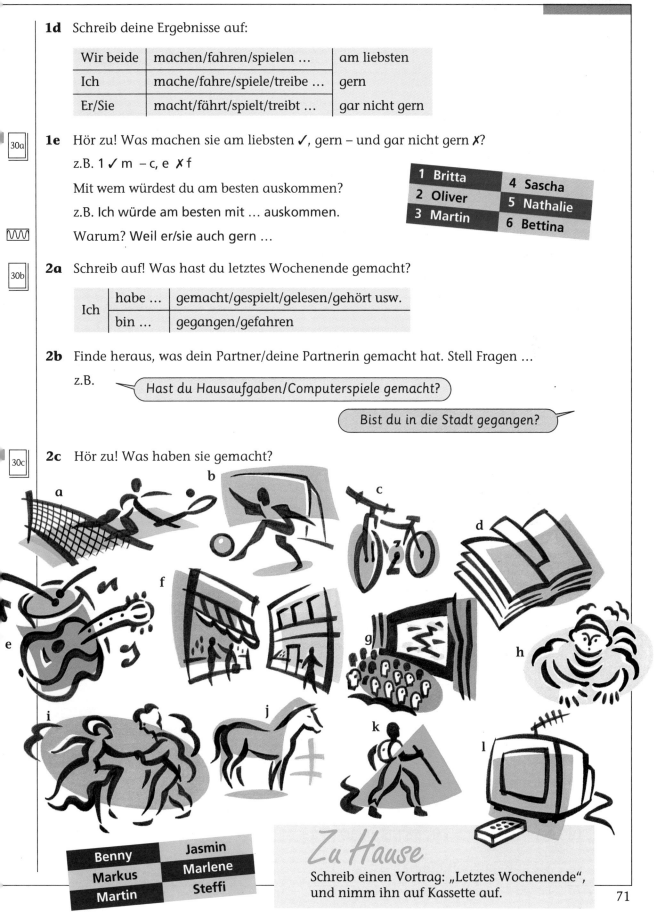

Benny	Jasmin
Markus	Marlene
Martin	Steffi

Zu Hause

Schreib einen Vortrag: „Letztes Wochenende",
und nimm ihn auf Kassette auf.

Wie hilfst du im Haushalt?

1a Was machen sie?

a

b

c

d

e

f

g

h

1 Ich bringe die Flaschen in den Keller

2 Ich mache Babysitting

3 Ich bügle

4 Ich decke den Tisch (ab)

5 Ich führe den Hund spazieren

6 Ich füttere die Haustiere

7 Ich räume die Spülmaschine ein/aus

8 Ich leere den Abfalleimer/den Aschenbecher

9 Ich mache das Bett

10 Ich mache (das Bad usw.) sauber

11 Ich mähe den Rasen

12 Ich räume das Zimmer auf

13 Ich sauge Staub

14 Ich spüle/wasche ab

15 Ich trockne ab

16 Ich wasche das Auto

Kannst du dir weitere Beispiele überlegen?

1b Hör zu! Wie helfen sie im Haushalt? (1–8)

1c Wie hilfst du im Haushalt?

2 Tanjas Eltern sind auf einer Reise nach Paris. Sie und ihr Bruder Frank sind allein zu Hause. Gestern abend haben sie ihre Freunde zu einer Party eingeladen. Jetzt müssen sie aufräumen, das Haus saubermachen und das Essen kochen, bis die Eltern zurückkommen.

Freitag

11.00
Sie machen die Fenster auf!
Tanja macht die Betten.
Frank räumt die Spülmaschine ein und macht sie an.

11.15
Tanja räumt im Wohnzimmer auf.
Frank wischt im Wohnzimmer Staub.

11.20
Tanja macht das Bad und die Gästetoilette sauber.
Frank saugt im Wohnzimmer und im Flur Staub.
Er leert die Aschenbecher und den Abfalleimer.

11.45
Tanja macht in der Küche sauber.
Frank fegt den Balkon.

11.55
Frank geht einkaufen.
Tanja schält die Kartoffeln und Karotten und kocht sie.

12.15
Frank bringt die leeren Flaschen in den Keller.
Tanja räumt die Spülmaschine aus.

12.25
Frank brät die Schnitzel.
Tanja deckt den Tisch.

12.45
Sie machen die Fenster wieder zu und setzen sich vor die Glotze!

Sonntag — Ihr seht ja immer noch fern!

2a Zu zweit: Stellt euch gegenseitig Fragen:

> Es ist 11.15 Uhr. Was macht Tanja/Frank ?
> Was hat er/sie schon gemacht?
> Was muß er/sie noch machen?

	Präsens	**Perfekt**	
Er	macht (die Betten)	hat (die Betten) gemacht	muß noch (die Betten) machen
Sie	räumt auf	hat aufgeräumt	muß noch aufräumen

2b Hör zu! Wie spät ist es?

Zu Hause

Es ist 11.30 Uhr. Was haben Tanja und Frank schon gemacht, und was müssen sie noch machen?

73

9 Lernzielkontrolle

I can ...

1	describe the clothes I am wearing:	Ich trage eine dunkle Hose/einen roten Rock, eine blaue Bluse/ein weißes Hemd, eine dunkelblaue Jacke, einen grünen Pulli, weiße Socken und schwarze Schuhe.
2	name my three favourite items of clothing and say what they are like and why I like them:	Ich habe eine blaue verwaschene Jeans mit Reißverschluß, einen roten Anorak und einen weiten schwarzen Pulli. Ich trage am liebsten lässige/klassische Kleidung, weil sie bequem/chic ist.
3	*describe our school uniform: and say whether I think it is good or not and why:	Die Jungen/Mädchen tragen **einen** blau**en** ..., **eine** weiß**e** ..., **ein** schwarz**es** ... und braun**e** Schuhe. Ich finde eine Uniform gut/nicht gut, weil (alle Schüler gleich aussehen ... usw.)
4	describe my own school bag and its contents:	Meine Schultasche ist (groß/klein/rot/ schwarz), und darin habe ich (mein Etui, meine Bücher, meine Hefte, meine Sportsachen) usw.
5	describe my daily routine on a school day:	Ich stehe um ... Uhr auf, wasche mich, frühstücke, gehe/fahre zur Schule usw.
6	say what I like to do in my free time and ask others if they like to do various activities:	In meiner Freizeit mache ich/spiele ich ... Spielst du/Spielen Sie gern ...?
7	say what I did last weekend:	Ich habe ... gemacht/gespielt. Ich bin in die Stadt gegangen/radgefahren.
8	name three things I do to help in the house and three things which I have done and two which I have to do:	Ich spüle, ich sauge Staub, ich mache das Bad sauber. Ich habe mein Bett gemacht/mein Zimmer aufgeräumt/den Tisch gedeckt. Ich muß Babysitting machen, ich muß den Rasen mähen.

Wiederholung

Letzten Sonntag: Omas Geburtstag. Erzähl die Geschichte.

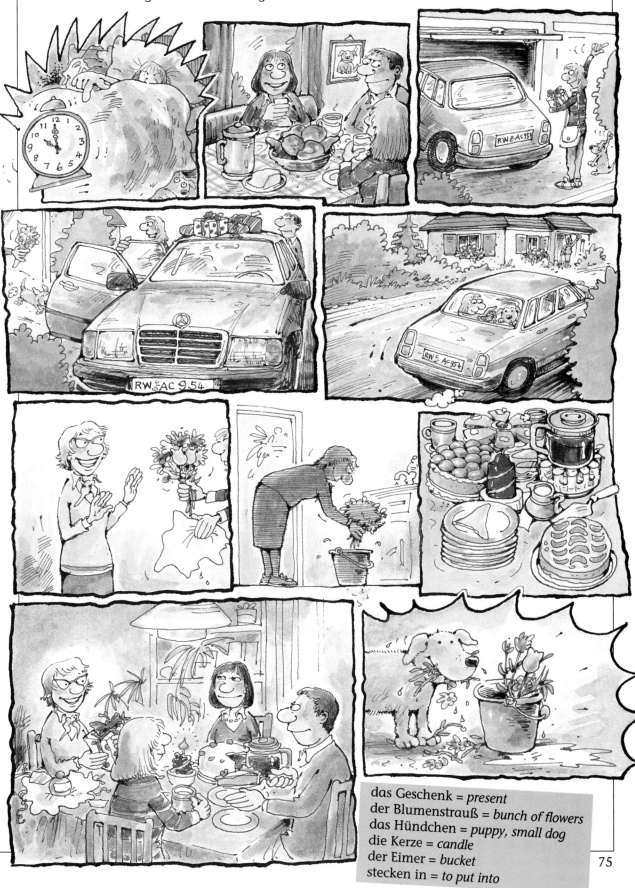

das Geschenk = *present*
der Blumenstrauß = *bunch of flowers*
das Hündchen = *puppy, small dog*
die Kerze = *candle*
der Eimer = *bucket*
stecken in = *to put into*

75

Unterwegs

1 Ferienziel

32a

1a Zu zweit: Wo verbringt ihr am liebsten die Ferien?

Wo verbringst du am liebsten die Ferien?

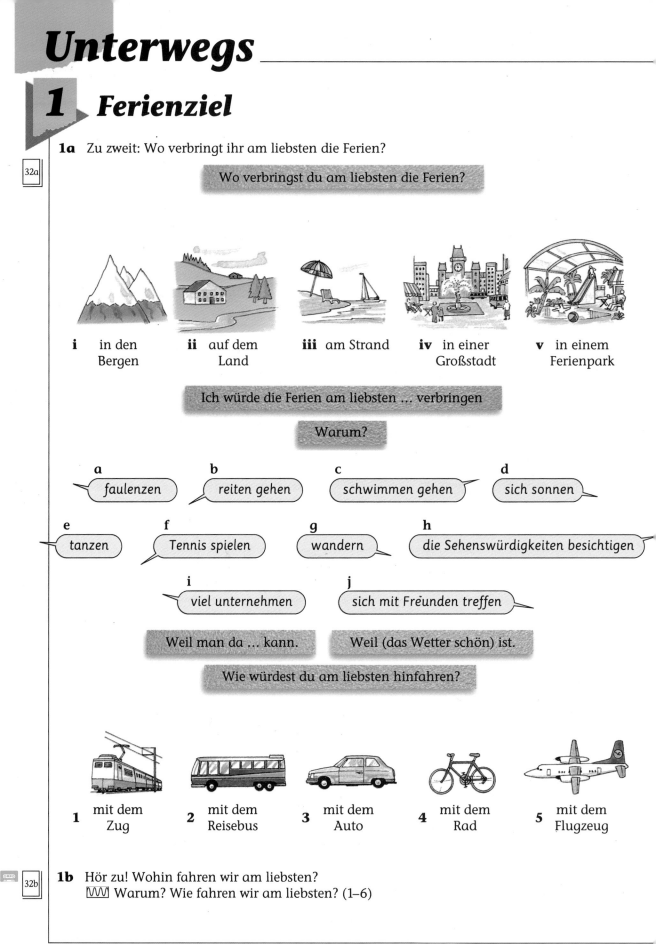

| i | in den Bergen | ii | auf dem Land | iii | am Strand | iv | in einer Großstadt | v | in einem Ferienpark |

Ich würde die Ferien am liebsten ... verbringen

Warum?

a faulenzen **b** reiten gehen **c** schwimmen gehen **d** sich sonnen

e tanzen **f** Tennis spielen **g** wandern **h** die Sehenswürdigkeiten besichtigen

i viel unternehmen **j** sich mit Freunden treffen

Weil man da ... kann.   Weil (das Wetter schön) ist.

Wie würdest du am liebsten hinfahren?

1 mit dem Zug **2** mit dem Reisebus **3** mit dem Auto **4** mit dem Rad **5** mit dem Flugzeug

32b

1b Hör zu! Wohin fahren wir am liebsten?
〰 Warum? Wie fahren wir am liebsten? (1–6)

2a Umfrage der Klasse 8b.
Wo haben sie ihre Ferien verbracht?
Mach ein Schaubild.

2b Was haben die Schüler der Klasse 8a gemacht? Schreib einen Bericht:

2c Wo hast du die Ferien verbracht? Wie waren die Ferien?

Schreib auf!

Ich habe die Ferien … verbracht.
Es hat Spaß gemacht. Die Ferien waren in Ordnung/langweilig.

2d Mach eine Umfrage. Stell die Fragen an z.B. zwölf Mitschüler:

„Wo hast du die Ferien verbracht? Wie waren die Ferien?"

Mach ein Schaubild und schreib die Ergebnisse auf.

3 Hör zu! Wie waren die Ferien? Gut, in Ordnung oder nicht gut? (1–6)

Zu Hause

Meine Traumferien:

Wo würdest du die Ferien verbringen?
Wie würdest du hinfahren?
Was würdest du machen?

Ich würde die Ferien … verbringen.
Ich würde mich sonnen/schwimmen gehen usw.

2 ▸ Wir fahren

1a Zu zweit. Bildet Sätze.

z.B. Ich fahre am 31. Juli mit dem Bus nach Holland.

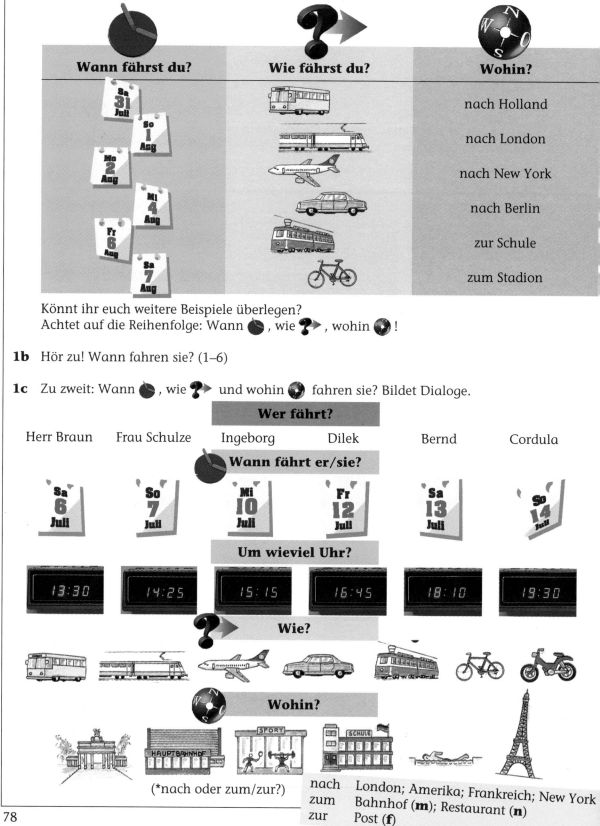

Könnt ihr euch weitere Beispiele überlegen?
Achtet auf die Reihenfolge: Wann 🕐 , wie ❓➤ , wohin 🧭 !

1b Hör zu! Wann fahren sie? (1–6)

1c Zu zweit: Wann 🕐 , wie ❓➤ und wohin 🧭 fahren sie? Bildet Dialoge.

2a   Gehen, fahren oder fliegen? Bilde Sätze und schreib sie auf.

Man geht	Man fährt	Man fliegt
zu Fuß	mit dem Auto/Rad/Mofa/Zug der Straßenbahn	(mit dem Flugzeug)

Wie kommt man am besten von der Schule … ?

a in die Stadt   **c** nach Sydney   **e** nach Hause   **g** zum Krankenhaus

b nach London   **d** zur Post   **f** zum Bahnhof   **h** nach Paris

Vergleiche deine Antworten mit einem Partner/mit einer Partnerin.

2b   Hör zu! Wohin wollen sie? (1–6)

2c   Im Reisebüro. Zu zweit. Rollenspiel.

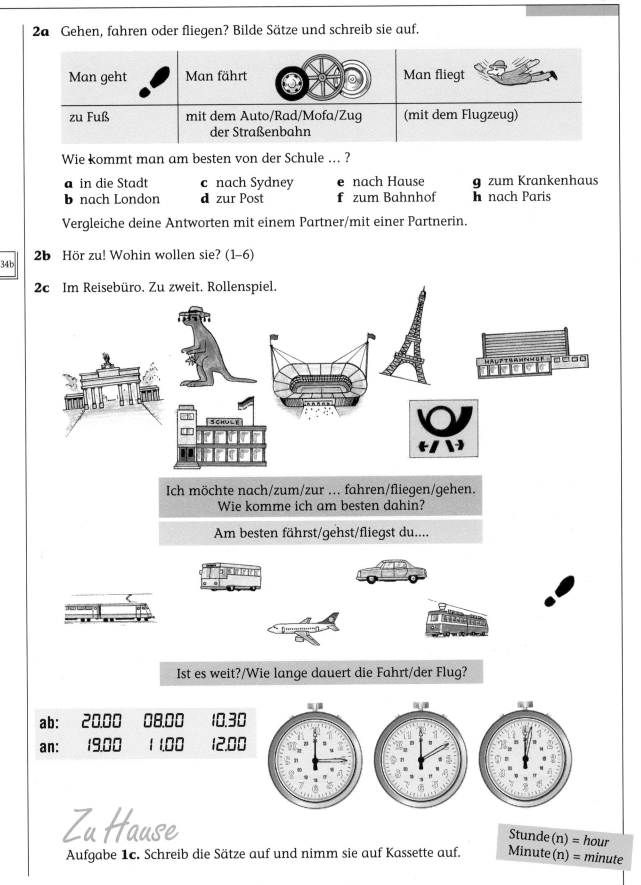

Ich möchte nach/zum/zur … fahren/fliegen/gehen.
Wie komme ich am besten dahin?

Am besten fährst/gehst/fliegst du....

Ist es weit?/Wie lange dauert die Fahrt/der Flug?

ab: 20.00   08.00   10.30
an: 19.00   11.00   12.00

Zu Hause

Aufgabe **1c.** Schreib die Sätze auf und nimm sie auf Kassette auf.

Stunde (n) = *hour*
Minute (n) = *minute*

Schade, daß Du nicht mitkommen konntest. Das Wetter ist gut, das Wasser ist warm. Die Stimmung ist super. Ich bin schon schön braun. Gestern abend hatten wir ein großes Gewitter, aber jetzt wird's schon besser. Viel Spaß wünscht Dir Dein Freund

Florian

Normaler Postkartentarif

Ich habe ein nettes englisches Mädchen kennengelernt. Sie ist auch hier mit ihrer Familie. Unsere Eltern gehen zusammen in die Berge wandern und wir dürfen auf dem Campingplatz bleiben und Tennis spielen oder schwimmen.

Lars

Es tut mir wirklich leid, daß Du nicht auch hier bist. Die Stadt ist schön. Es gibt viel zu sehen. Heute haben wir Madame Tussauds besucht, und morgen machen wir einen Ausflug auf der Themse, aber mir macht alles keinen Spaß ohne Dich! Ich liebe Dich!

Tanja

Normaler Postkartentarif Usual stamp for postcards Tarif postal normal

Liebe Mutti, Lieber Vati!
Hier geht alles gut. Mein Pferd heißt Sultan. Er ist sehr groß und stark. Ich komme schon gut mit ihm aus. Nur das Essen ist scheußlich. Wir haben immer Hunger und gehen abends in die Pizzeria, da müssen wir leider bezahlen und mein Geld ist fast alle.

Steffi

1a Falsch oder richtig?

a Florian ist am Meer.

b Er hat schlechtes Wetter.

c Lars verbringt die Ferien in den Bergen.

d Er macht Wanderungen mit einem englischen Mädchen.

e Tanja ist auf dem Land.

f Sie vermißt ihren Freund.

g Steffi macht einen Reitkurs.

h Das Essen schmeckt lecker.

1b Verbessere die falschen Sätze.

1c Hör zu! Wer spricht? Wie waren ihre Ferien? (1–4)

Gut

In Ordnung

Nicht gut

2a Zu zweit. Phantasiespiel. Die letzten Sommerferien. Stellt euch gegenseitig Fragen:

z.B.

> Wohin bist du gefahren?

> Ich bin nach … gefahren.

> Was hast du gemacht?

> Ich habe … . Ich bin … .

> Hat es Spaß gemacht?

> Das Wetter war … . Es hat … .

Kreta = *Crete*
Griechenland = *Greece*

CRETE CHANIA

2b Schreib eine Karte an

i deinen besten Freund/deine beste Freundin
ii einen Mitschüler, der zu Hause bleiben muß, weil er krank ist
iii deine Großeltern.

Ich	bin	nach … gefahren
	habe	… gemacht/gespielt/gekauft
	bin	(…) gegangen/gefahren/geschwommen
		zu Hause geblieben.

Zu Hause

Was hast du in den letzten Sommerferien gemacht?
Wo hast du die Ferien verbracht? Wie waren die Ferien?
Bereite deine Antwort vor und nimm sie auf Kassette auf.

Ich habe die Ferien … verbracht. Wir sind nach … gefahren.
Ich habe … gespielt/gemacht … usw. Es hat richtig Spaß gemacht.

1a Wo würden sie am liebsten übernachten?

z.B. Andreas würde am liebsten in.../auf.... übernachten.

a (weil man die Betten nicht machen muß! Andreas)

b (weil man frei ist und für sich selbst kochen kann. Martin)

c (weil es nicht so teuer ist wie in einem Hotel. Jutta)

d (weil man mit anderen jungen Leuten zusammen ist. Verena)

e (weil man wirklich Kontakt mit der Natur hat. Bruno)

f (weil es Restaurants und Bars gibt, so daß man nicht kochen muß. Helga)

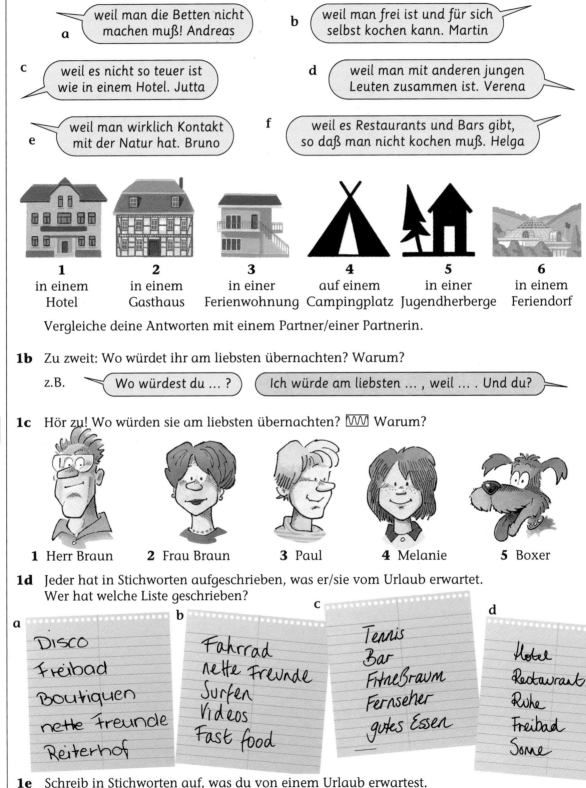

1
in einem
Hotel

2
in einem
Gasthaus

3
in einer
Ferienwohnung

4
auf einem
Campingplatz

5
in einer
Jugendherberge

6
in einem
Feriendorf

Vergleiche deine Antworten mit einem Partner/einer Partnerin.

1b Zu zweit: Wo würdet ihr am liebsten übernachten? Warum?

z.B. (Wo würdest du ... ?) (Ich würde am liebsten ... , weil ... . Und du?)

1c Hör zu! Wo würden sie am liebsten übernachten? ⋙ Warum?

1 Herr Braun   **2** Frau Braun   **3** Paul   **4** Melanie   **5** Boxer

1d Jeder hat in Stichworten aufgeschrieben, was er/sie vom Urlaub erwartet.
Wer hat welche Liste geschrieben?

a
DISCO
Freibad
Boutiquen
nette Freunde
Reiterhof

b
Fahrrad
nette Freunde
Surfen
Videos
Fast food

c
Tennis
Bar
Fitneßraum
Fernseher
gutes Essen

d
Hotel
Restaurant
Ruhe
Freibad
Sonne

1e Schreib in Stichworten auf, was du von einem Urlaub erwartest.

Sehr geehrter Herr Bader,
wir möchten ein Doppelzimmer
und ein Einzelzimmer mit Bad
oder Dusche vom 14.-21. Juli.
Wieviel kosten die Zimmer?
Kann man im Gasthaus auch zu
Abend essen? Gibt es ein
Schwimmbad in der Nähe?
Mit freundlichen Grüßen,

John Smith

Sehr geehrte
Herbergseltern,
wir möchten vom 7.-14.
Juli in der
Jugendherberge
übernachten. Wir sind
zwei Jungen und zwei
Mädchen. Teilen Sie
uns bitte mit, ob Sie
zu dieser Zeit noch
Plätze frei haben.
Vielen Dank.

Patrick O'Grady

Sehr geehrte Damen und
Herren,
wir beabsichtigen, die
Stadt Freiburg zu
besuchen, und wir wären
Ihnen dankbar, wenn Sie
uns Broschüren über
Freizeitmöglichkeiten und
Informationen über die
Stadt zusenden könnten.
Gibt es einen
Campingplatz, wo wir
unseren Wohnwagen
abstellen können? Wir
brauchen einen Platz für
einen Wohnwagen und ein
Zelt vom 3.-8. Juni.
Mit freundlichen Grüßen,

Mary Jones

2a Wo wollen sie übernachten? Was brauchen sie? (Wie viele Plätze, für wie lange?)

z.B. (Patrick O'Grady) will in/auf … übernachten. Er braucht …

2b Zu zweit. Was sagt ihr ….?

(Kann ich Ihnen helfen?)

ein Zelt

Ja. Ich möchte …

(3) (2) (4)

(2) (3) + (1)

eine Nacht, zwei Nächte

2c Schreib einen Brief an Herrn Meyer, um für deine Familie
für eine Woche Zimmer in seinem Hotel zu buchen.

36b

Zwischentest 5

I can …

- say where I would like to go for my holidays and why
- name five holiday activities
- say how I spent the holiday last year and whether I enjoyed it
- name three means of transport
- say when, how and where I want to go and
- say where I would like to stay, MM and why

Wiederhole Zwischentest 4!

5 Große Pause!

Strandkorbvermietung: Durch die Kurverwaltung

Nach Sylt mit der Bahn

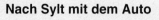

Sylt ist mit den Zügen der Deutschen Bundesbahn schnell und bequem zu erreichen. Auf Sylt kommen mehrmals täglich Inter-City-, D-Züge und Eilzüge an.

Nach Sylt mit dem Schiff

Von der dänischen Halbinsel Römö verkehrt eine regelmäßige Personen- und Autofähre mit dem Sylter Hafen List.

Nach Sylt mit dem Auto

Autobahn A 7 von Hamburg. Benutzen Sie die Abfahrt Flensburg/Harrislee. Von dort fährt man auf der B 199 bis Niebüll. Folgen Sie dem Schild „Kfz-Verladung Sylt". Ihr Auto wird auf den Autozug verladen.

Die letzten 25 km legen Sie in Ihrem Wagen auf dem Zug zurück. Die Fahrt über den Hindenburgdamm ist ein Erlebnis.

Frühstück	Halbpension	Dusche	Bad	Etagendusche	WC im Zimmer	Telefon	TV	Solarium	Sauna	Schwimmbad	Garten/Liegewiese	Strandkorb	Terrasse	Hunde gestattet	Parkplatz/Garage	Küchenbenutzung	Aufenthaltsraum	Eßzimmer	Zustellbett vorhand.	Mehrbettzimmer	Küche	Waschmaschine	H.-Prosp.
●		●			●	●	●				●	●	● n.V.		●		●		●			●	

Apparthotel

Gasthof

Privatzimmer

Hotel

Pension

Ferienwohnung

Campingplatz:

Der Campingplatz ist vom **15.04. – 15.10.** geöffnet.
Die Zeltplatzgebühren betragen pro Tag:

- 5,50 DM für eine Person
- 3,00 DM für Kinder unter 6 Jahren
- 7,00 DM für 1 Zelt bis 6 qm
- 12,00 DM für 1 Zelt über 6qm
- 13,00 DM für 1 Wohnwagen/Wohnmobil
- 3,00 DM für 1 Auto
- 2,50 DM für 1 Motorrad oder Moped
- 4,00 DM für 1 Hund
- 4,00 DM für Strom
- 3,00 DM für Gastbenutzer

Map legend:

Naturschutz-Gebiet
Eisenbahn
Badestrand
FKK-Strand
Campingplatz
2 Km

Ellenbogen
Autofähre n. Römö
List
Klappholt-tal
Blidsel
Vogelkoje
Rotes Kliff
Kampen
SYLT
Wenningstedt
Braderup
Munkmarsch
Westerland
Keitum
Tinnum
Morsum-Kliff
Vogelkoje
Dikjen Deel
Rantum-Becken
Morsum
Archsum
Hindenburg Damm
Rantum
Puan Klent
Hörnum
Fähren n. Helgoland
Amrum, Föhr u. den
Halligen

Urlaub auf Sylt

Was würdest du machen?
Wo würdest du wohnen?

Naturschutz-Gebiet = *nature reserve*
FKK-Strand = *naturist beach*

5 Tage nach London

Sie wohnen in einfachen ortsüblichen Hotels, die sich besonders auf Schülergruppen eingerichtet haben. Unterkunft in Mehrbettzimmern. London Citysightseeing – Rundtour im Doppeldeckerbus; Bootsfahrt auf der Themse und Besuch von Tower und Tower Museum; Madame Tussauds Wachsfigurenkabinett und die berühmten Einkaufsstraßen; Ausflug nach Windsor oder Stratford.

5 Tage nach Sylt

Unterkunft in Ferienbungalows. 6 Personen pro Bungalow in Zweibettzimmern. Kochmöglichkeiten oder Restaurant. 200m Fußweg zum Strand. Strand- und Dünenwanderungen; Fahrradtouren; Schwimmen im Meer oder im Meerwasser-Hallenbad; 6 Tennisplätze; Gemeinschaftshalle mit Tischtennis, Billard und Imbißstube. Supermarkt.

5 Tage nach Titisee (Schwarzwald)

Unterkunft auf dem Campingplatz in Zelten für je vier Personen. Mahlzeiten im Restaurant. Schwimmen, Kayakfahren und Rudern auf dem See. Volleyball- und Tennisplätze, Tischtennisplatten, Minigolf. Liegewiese. Wanderungen und Fahrradtouren um den See und im Wald. Tagesbusfahrt nach Freiburg mit Stadtbesichtigung.

1a Lesen und Verstehen. Kennst du ein Wort nicht, frag deinen Nachbar bzw. deine Nachbarin:

> *Wie heißt ... auf englisch?*

> *Das weiß ich auch nicht. Schau mal im Wörterbuch nach!*

1b Hör zu! Wohin wollen sie? Wieviel kostet es?

1c Vor- und Nachteile. Finde zwei Vor- und zwei Nachteile von jedem Ferienziel:

Es	ist	zu weit; zu teuer
Man	wohnt	in einem Hotel/auf einem Campingplatz/in einem Ferienbungalow
	kann	schwimmen/wandern gehen/die Sehenswürdigkeiten besichtigen viel/wenig Sport treiben/unternehmen
	muß	im Restaurant essen/selbst kochen usw.

1d Wohin würdest du am liebsten fahren? Begründe deine Antwort!

Ich würde am liebsten nach ... fahren, weil ... ▲

Achte auf die Reihenfolge!

weil	man	...	kann/wohnt/ißt/kocht
	es	viel/wenig zu unternehmen/zu sehen	gibt

1e Mach eine Umfrage. Frag fünf Mitschüler und schreib die Antworten auf:

„Wohin würdest du am liebsten fahren? Warum?"

Susan würde am liebsten nach ... fahren, weil ... ▲

> *weil es Spaß macht!*

86

a

Fußballfreizeit

⚽ Lernen mit einem Profi
⚽ Fitneßtraining
⚽ Ball-Technik

b

Fitneßfreizeit

🏋 Laufen
🏋 Gymnastik
🏋 Aerobic
🏋 Step
🏋 Bodybuilding
🏋 Sauna und Jacuzzi

c

Reiterfreizeit

🐴 Pferdepflege
🐴 Springen
🐴 Galoppieren
🐴 Dressurreiten

d

Wassersportfreizeit

⛵ Windsurfen
⛵ Tauchen
⛵ Segeln
⛵ Wasserskifahren

2a Hör zu! Wohin gehen sie? Wann gehen sie? Wieviel kostet es?

Hannes   Björn
    Natalie   Claudia

2b Was müssen sie mitnehmen? Mach eine Liste für jeden Kurs.

Besprich deine Liste mit deinem Nachbarn bzw. deiner Nachbarin.

> Was hast du vergessen? Du hast keinen Anorak; keine Haarbürste; kein Handtuch.

> Du brauchst noch Gummistiefel.

3a Wohin möchtest du? Warum?

3b Was meinst du? Was müßtest du alles mitnehmen?

Zu Hause

Du verbringst entweder:

i. eine Woche am Mittelmeer, oder **ii.** eine Woche Winterferien in den Alpen.

Was würdest du alles mitnehmen?

Checkliste Ausrüstung für Teilnehmer

Personalausweis; Reisetasche/Rucksack; Krankenschein/Impfschein; Taschengeld; Bettzeug; Handtücher; Waschzeug/Kulturtasche

Schuhe (3 Paar): Turnschuhe; Hausschuhe; Reitstiefel; Fußballschuhe; Gummistiefel; Schwimmflossen

Kleidung: Socken, Strümpfe; lange Hose; Jeans; Trikot; Trainings-/Jogginganzug; Anorak oder wasserdichte Jacke; T-Shirt; Pullover; Sweatshirt; Rock; Bluse; Kleid; Badeanzug oder Badehose; Bikini; Turnhose; Polohemd; Unterwäsche; Schlafanzüge

Badekappe; Schwimmbrille; Badetuch; Sonnenbrille

Plastikbeutel für schmutzige Wäsche

Kamera; Buch; Brettspiele; Karten; Walkman

7 Klassenfahrt nach Sylt

1a Was würdest du in deinen Kulturbeutel packen?

Wie sagt man das?

1b Zu zweit. Was habt ihr vergessen?

z.B. Ich habe keinen/keine/kein …

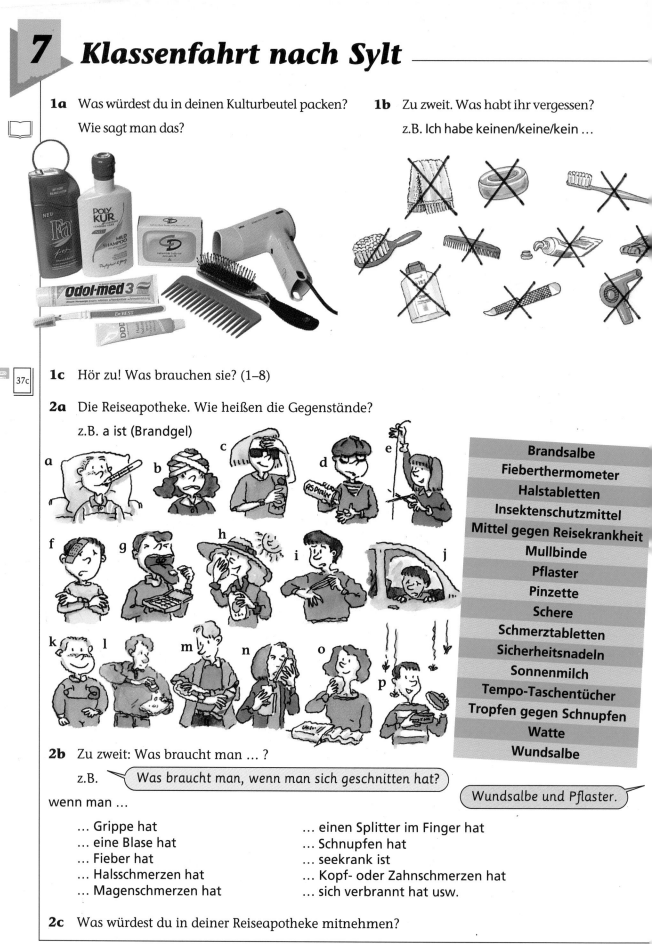

1c Hör zu! Was brauchen sie? (1–8)

2a Die Reiseapotheke. Wie heißen die Gegenstände?

z.B. a ist (Brandgel)

Brandsalbe
Fieberthermometer
Halstabletten
Insektenschutzmittel
Mittel gegen Reisekrankheit
Mullbinde
Pflaster
Pinzette
Schere
Schmerztabletten
Sicherheitsnadeln
Sonnenmilch
Tempo-Taschentücher
Tropfen gegen Schnupfen
Watte
Wundsalbe

2b Zu zweit: Was braucht man … ?

z.B. *Was braucht man, wenn man sich geschnitten hat?*

Wundsalbe und Pflaster.

wenn man …

… Grippe hat
… eine Blase hat
… Fieber hat
… Halsschmerzen hat
… Magenschmerzen hat

… einen Splitter im Finger hat
… Schnupfen hat
… seekrank ist
… Kopf- oder Zahnschmerzen hat
… sich verbrannt hat usw.

2c Was würdest du in deiner Reiseapotheke mitnehmen?

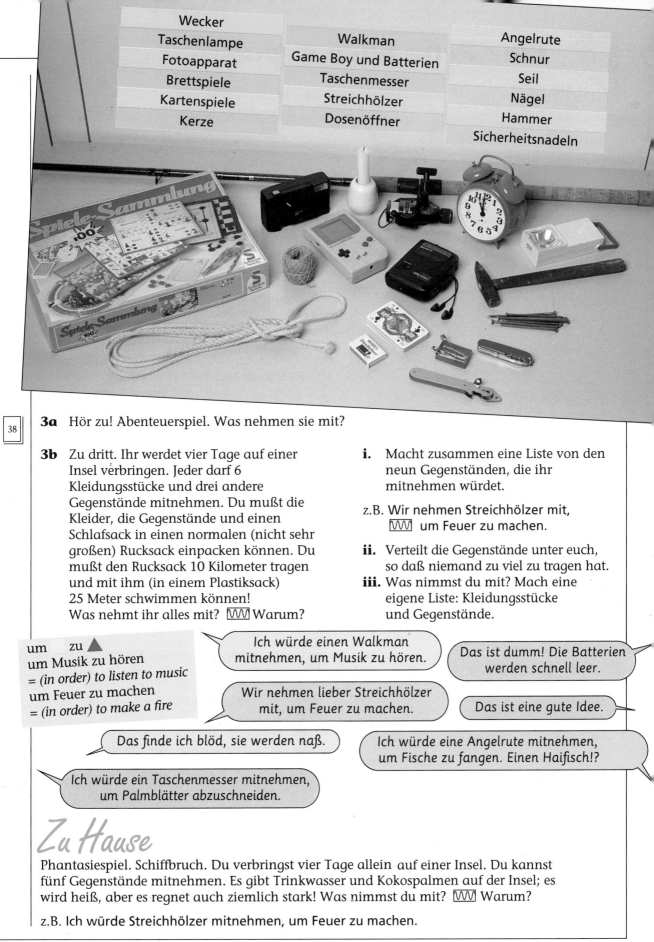

3a Hör zu! Abenteuerspiel. Was nehmen sie mit?

3b Zu dritt. Ihr werdet vier Tage auf einer Insel verbringen. Jeder darf 6 Kleidungsstücke und drei andere Gegenstände mitnehmen. Du mußt die Kleider, die Gegenstände und einen Schlafsack in einen normalen (nicht sehr großen) Rucksack einpacken können. Du mußt den Rucksack 10 Kilometer tragen und mit ihm (in einem Plastiksack) 25 Meter schwimmen können! Was nehmt ihr alles mit? Warum?

i. Macht zusammen eine Liste von den neun Gegenständen, die ihr mitnehmen würdet.

z.B. Wir nehmen Streichhölzer mit, um Feuer zu machen.

ii. Verteilt die Gegenstände unter euch, so daß niemand zu viel zu tragen hat.

iii. Was nimmst du mit? Mach eine eigene Liste: Kleidungsstücke und Gegenstände.

um zu ▲
um Musik zu hören
= (in order) to listen to music
um Feuer zu machen
= (in order) to make a fire

> Ich würde einen Walkman mitnehmen, um Musik zu hören.

> Das ist dumm! Die Batterien werden schnell leer.

> Wir nehmen lieber Streichhölzer mit, um Feuer zu machen.

> Das ist eine gute Idee.

> Das finde ich blöd, sie werden naß.

> Ich würde eine Angelrute mitnehmen, um Fische zu fangen. Einen Haifisch!?

> Ich würde ein Taschenmesser mitnehmen, um Palmblätter abzuschneiden.

Zu Hause

Phantasiespiel. Schiffbruch. Du verbringst vier Tage allein auf einer Insel. Du kannst fünf Gegenstände mitnehmen. Es gibt Trinkwasser und Kokospalmen auf der Insel; es wird heiß, aber es regnet auch ziemlich stark! Was nimmst du mit? Warum?

z.B. Ich würde Streichhölzer mitnehmen, um Feuer zu machen.

89

8 ▸ Eine Reise nach Nepal

Ich heiße Christoph und ich bin vierzehn Jahre alt. Ich besuche die Amadeus-Mozart-Schule und gehe in die Klasse 8a. Ich will euch von meiner Reise ins Königreich Nepal erzählen, vom Trekking und dem Besuch des Chitwan National-Parks. Zuerst ein paar Daten über Nepal: Die Hauptstadt heißt Katmandu und in diesem Land liegen einige der höchsten Berge der Erde, der Mt. Everest, der Makalu und die Gipfel Annapurna.

die Reise = *journey*
der Besuch = *visit*
der Gipfel = *summit*

die Vorbereitung = *preparation*
bereits = *already*
im Gange = *in progress*
um ... zu ... = *in order to*
regelmäßig = *regular*
die Impfung = *vaccination*
gefährlich = *dangerous*
ebenfalls = *likewise/also*
nötig = *necessary*
sich freuen auf = *to look forward to*
schon lange = *a long time*
gemeinsam = *together*

Die Reisevorbereitungen waren bereits seit zwei Jahren im Gange. Um fit zu sein, hatte ich regelmäßig Waldläufe und Aerobic gemacht. Impfungen gegen gefährliche Reisekrankheiten waren ebenfalls nötig. Ich freute mich schon lange auf den Tag der Abreise. Am Morgen dieses Tages im Dezember marschierten meine Eltern und ich gemeinsam mit schwerem Rucksack zum Bahnhof.

Mit dem Zug fuhren wir bis nach München zum Flughafen. Unsere Maschine startete um 20.00 Uhr; Flugzeit ca. 11 Stunden. Bei einer Zwischenlandung in Goa/Indien hatten wir Gelegenheit, in der warmen Morgensonne uns etwas auszuruhen. Von Goa ging es weiter nach Katmandu, der Hauptstadt Nepals.

die Zeit = *time*
ca (circa) = *about*
zwischen = *between*
die Gelegenheit = *opportunity*
sich ausruhen = *to rest*
weiter = *further*

folgend = *following*
zunächst = *firstly*
herausgreifen = *to pick out*
das Heiligtum = *holy place*
dortig = *local*
die Verbrennungsstätte = *place of cremation*
der Tote = *the dead*
wohl = *well*
gerade = *just (then)*
die Leiche = *the corpse*
Arbeitskollegen = *(work) colleagues*
die Ehre = *honour*
erlangen = *gain*

Am frühen Nachmittag und an den folgenden drei Tagen stand zunächst Kultur auf dem Programm. Von all den phantastischen Sehenswürdigkeiten möchte ich nur einige herausgreifen. Pashupatinath z.B., ein Hindu-Heiligtum. Am dortigen Fluß, er heißt Bagmati-River, befinden sich die Verbrennungsstätten für die Toten. Ganz wohl war mir nicht, denn an einer dieser Stätten wurde gerade die Leiche eines Polizisten verbrannt. Seine Arbeitskollegen und die Familie gaben ihm die letzte Ehre. Die Asche wurde in den Fluß gestreut, um später eine Wiedergeburt zu erlangen.

1a Lesen und Verstehen.

1b Beschrifte die Bilder.

1c Falsch oder richtig?

1 Christoph ist 15 Jahre alt.
2 Er ist in den Sommerferien nach Nepal gefahren.
3 Er ist mit dem Zug nach München gefahren.
4 Er ist mit seiner Schulklasse gefahren.
5 Nepal ist in Amerika.
6 Er ist nach Nepal geflogen.
7 Goa ist die Hauptstadt Nepals.
8 Es gab viele Sehenswürdigkeiten.
9 Pashupatinath ist ein Fluß.
10 Annapurna ist ein Berg.
11 Sie verbrennen die Toten.
12 Christoph fühlte sich nicht wohl.

1d Verbessere die falschen Sätze.

Zu Hause

Was würdest du mitnehmen? Mach eine Liste!

9 ► *Lernzielkontrolle*

I can ...

1	say where I would like to go for my holidays and why:	Ich würde gern die Ferien am Strand verbringen, weil man sich dort sonnen kann.
2	name five holiday activities:	schwimmen, tauchen, reiten, Tennis spielen, tanzen, sich sonnen usw.
3	say how I spent the holiday last year and whether I enjoyed it and why:	Letztes Jahr bin ich ... /habe ich ... . Es hat (keinen) Spaß gemacht ... , weil das Wetter (nicht) gut war.
4	name three means of transport and say how you would go on foot:	Man fährt: mit dem Auto/mit dem Zug/ mit dem Bus. Man fliegt. Man geht zu Fuß.

5 say when, how and where I want to go

	Wann?	Wie?	Wohin?	
Ich würde am liebsten	im Sommer im Winter	mit dem Zug mit dem Auto	nach Griechenland in die Alpen	fahren

6	say where I would like to stay, and why:	Ich würde am liebsten auf einem Campingplatz wohnen, weil man da frei ist. Ich würde am liebsten zu einem Ferienpark gehen, weil man da viel unternehmen kann.
7	say what I would take in my wash kit:	Ich würde Zahnbürste, Zahnpasta, Hautcreme, Seife, Shampoo, Sonnenmilch, Sonnenbrandsalbe und ein Insektenschutzmittel mitnehmen.
8	and what I would like to have on a desert island and why:	Auf eine verlassene Insel würde ich (Streichhölzer) mitnehmen, um (Feuer) zu (machen).

Wiederholung

Frau Klein lernt Herrn Schmidt im Feriendorf kennen.
Wollen ihre Kinder einen neuen „Vater"? Erzähl die Geschichte.

eine Reifenpanne = *a puncture*

Sie machen einen Ausflug.

Sie können ihn nicht leiden.

Sie haben Spaß.

Sie kommen gut/nicht gut mit ihm/ihr aus.

Sie haben ihn/sie gern/nicht gern.

Ende gut, alles gut!

Schülerzeitung

1 Inhaltsverzeichnis

Nachrichten und Wettervorhersage

Aktuelles: *Natur und Umwelt*

Kinokritik: *Was läuft?*

Hobbys: *Computer, Reiten, Angeln, Basteln, Foto, Schach, Mode*

Horoskop: *Die kommende Woche in den Sternen!*

Witze und Spiele

Interview mit einem Lehrer bzw. einer Lehrerin

Cartoon – *Der Neue*

Eine Reise nach Nepal – *Erweiterung*

1a Zu welchen Artikeln gehören diese Ausschnitte?

z.B. c Nachrichten

Du darfst vier neue Wörter im Wörterbuch nachschlagen. Welche Wörter hast du ausgewählt? Schreib sie auf! Vergleich deine Liste mit deinem Nachbarn/deiner Nachbarin.

a einen echt aufregenden Film, Hauptdarsteller Tom Cruise, kann ich empfehlen

b Weil diese Geräte mit Disketten benutzt werden und keine Festplatte besitzen, hat ein Virus keine Chance

c bei einem Verkehrsunfall in dichtem Nebel auf der A4 verunglückte

d im Bus mit. Die Straßen sind gefährlich, man fährt auf der linken oder rechten Seite und falls nötig in der Mitte

e *klassische Musik und auch Jazz höre ich sehr gern*

f *in der Prüfung werden Tiere mit Chemikalien injiziert, bis die Hälfte davon stirbt*

g Erdbeben in Japan. Autobahnbrücke zerstört

h Kann ich dein Mathebuch ausleihen?

i *die Dir seit langem am Herzen liegt, sollte jetzt happy enden!*

j *mit niedrigen Temperaturen und geringem Niederschlag. Mit Gewittern im Süden ist zu rechnen*

k *zwei sparsame Schotten sind bei einer Bergtour*

Cornelia	Sven	Carsten	Hasan	Verena
Nina	Björn	Markus	Holger	Melissa

1b Hör zu! Wer schreibt was?

[39a]

1c Zu viert: Macht ein Inhaltsverzeichnis für eure Schülerzeitungen. Verteilt die Arbeit: Jeder wählt zwei Artikel aus und sagt, was er bzw. sie schreiben wird.

z.B.

Ich werde ... schreiben/zeichnen/machen.

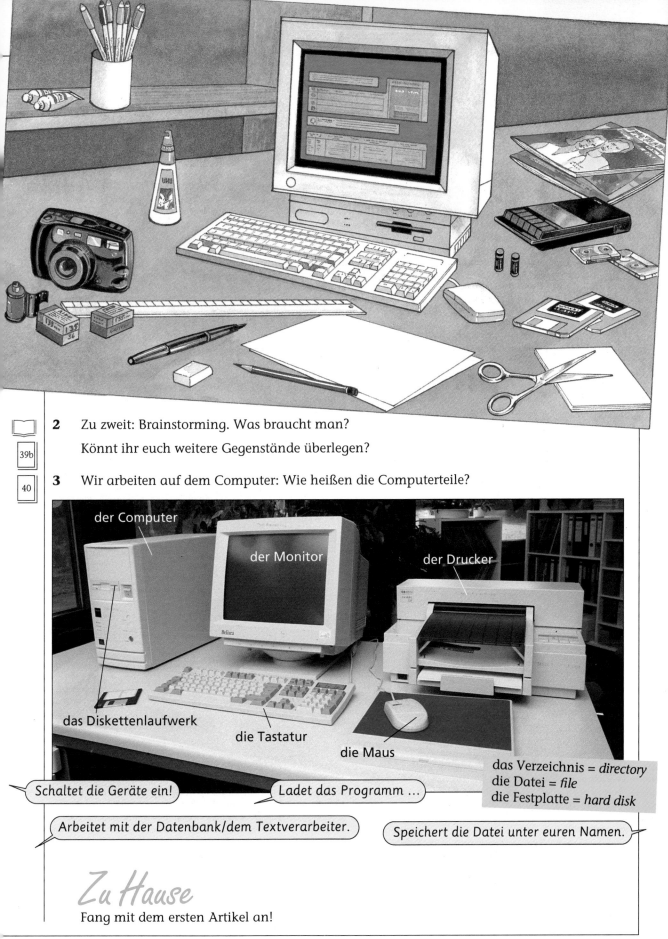

2 Zu zweit: Brainstorming. Was braucht man?

39b Könnt ihr euch weitere Gegenstände überlegen?

3 Wir arbeiten auf dem Computer: Wie heißen die Computerteile?

der Computer

der Monitor

der Drucker

das Diskettenlaufwerk

die Tastatur

die Maus

das Verzeichnis = *directory*
die Datei = *file*
die Festplatte = *hard disk*

Schaltet die Geräte ein!

Ladet das Programm ...

Arbeitet mit der Datenbank/dem Textverarbeiter.

Speichert die Datei unter euren Namen.

Zu Hause

Fang mit dem ersten Artikel an!

Umweltverschmutzung und Umweltfreunde

Achtung!

1 Die Müllberge wachsen

2 Die Abgase stinken

3 Die Wälder sterben

4 Das Ozonloch vergrössert sich

5 Wasserverschmutzung: die Flüsse und Gewässer werden vergiftet

6 Rohstoffe werden verbraucht

7 Die Seen werden überfischt

8 Strahlungsgefahr von Kernkraftunfällen

1a Welche Umweltprobleme werden hier erwähnt?

41a

Wußtest du das?

1 Liter Altöl kann 1 Million Liter Trinkwasser kaputt machen.

1b Zu zweit. Was meint ihr? Welche Probleme sind am schlimmsten? Wählt fünf aus, und ordnet sie.

41b

z.B. Wir finden (Strahlungsgefahr) am schlimmsten ... dann ... und als nächstes ... usw.

1c Hör zu! Wovor haben sie am meisten Angst?

41c

42a

2a Was kann man machen? Bilde fünf Sätze.
Um (den Müllberg zu reduzieren), kann man (Papier recyceln).

Man kann …

Glas/Alufolie/Papier/Batterien	recyceln
Energie/Wasser/Benzin	sparen
Abgase/Müllberge/den sauren Regen	reduzieren
die Ozonschicht/die Natur/den Wald	schützen

Spraydosen vermeiden/das Licht ausmachen/die Heizung runterstellen

42b

2b Hör zu! Was machen wir, um die Umwelt zu schonen? Wer spricht?

a (Ich bringe Altglas zum Container, statt es wegzuwerfen.)

b (Ich sammle Alufolie, statt sie wegzuschmeißen.)

c (Ich mache das Licht aus, wenn ich ein Zimmer verlasse.)

d (Ich dusche mich, statt zu baden.)

e (Ich gehe zu Fuß, statt mit dem Auto zu fahren.)

f (Ich mache nichts Besonderes.)

g (Ich benutze keine Spraydosen mit FCKW.)

h (Ich vermeide Kosmetik, die an Tieren erprobt wird.)

Benny
Carima
Joanna
Katharina
Miriam
Serdar
Serkan
Steffi

42c

2c Was macht ihr, um die Umwelt zu schonen? Und was machst du?

In unserer Klasse (sammeln) wir …, um … Ich persönlich (sammle) …

3 Mach ein Poster: Schreib Schlagwörter darauf und zeichne ein Bild dazu oder mach eine Collage.

Wir müssen (Energie sparen), um (die Umwelt zu schonen)!

Zu Hause

Schreib einen Bericht oder ein Gedicht für deine Schülerzeitung:

Entweder: Was machst du, um die Umwelt zu schonen?

Ich sammle… gehe zu Fuß usw.

oder: Was könnte man machen?

Um Energie zu sparen, könnte man …

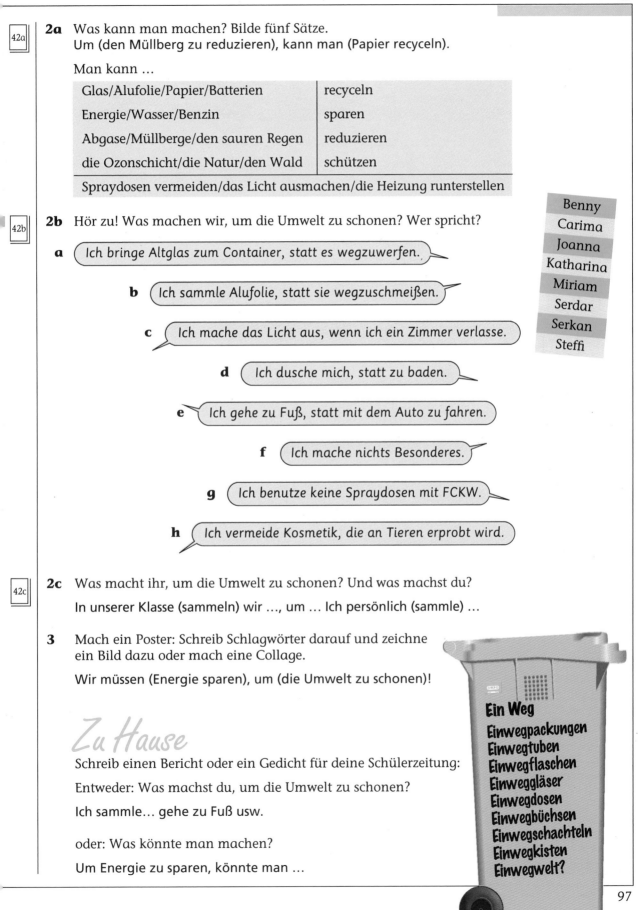

Ein Weg
Einwegpackungen
Einwegtuben
Einwegflaschen
Einweggläser
Einwegdosen
Einwegbüchsen
Einwegschachteln
Einwegkisten
Einwegwelt?

3 Kinokritik

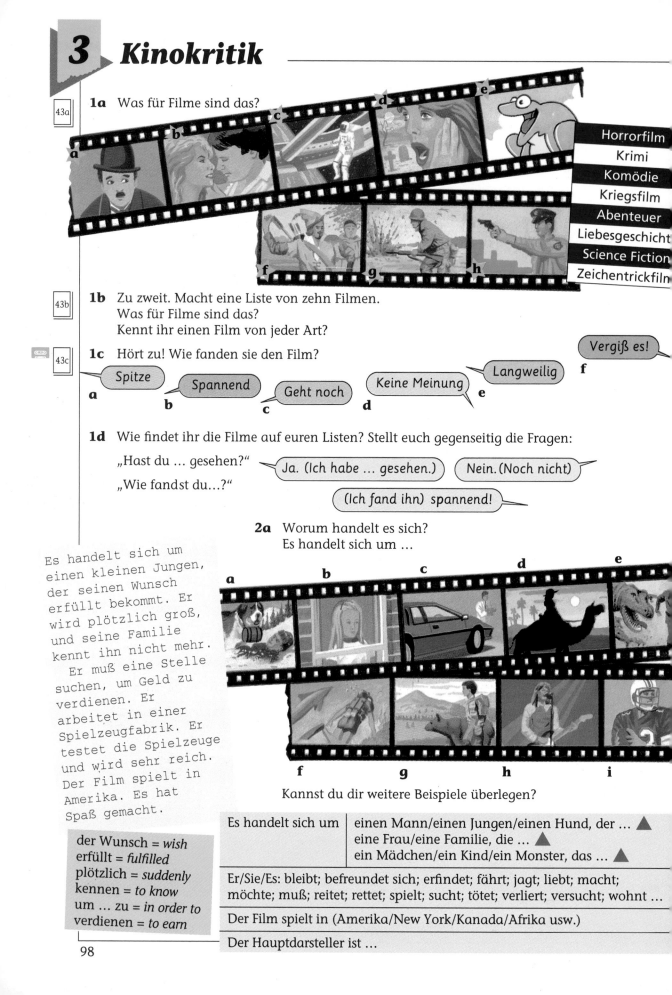

1a Was für Filme sind das?

a b c d e f g h

Horrorfilm
Krimi
Komödie
Kriegsfilm
Abenteuer
Liebesgeschicht[...]
Science Fiction
Zeichentrickfilm

1b Zu zweit. Macht eine Liste von zehn Filmen.
Was für Filme sind das?
Kennt ihr einen Film von jeder Art?

1c Hört zu! Wie fanden sie den Film?

Spitze a
Spannend b
Geht noch c
Keine Meinung d
Langweilig e
Vergiß es! f

1d Wie findet ihr die Filme auf euren Listen? Stellt euch gegenseitig die Fragen:

„Hast du ... gesehen?"
„Wie fandst du...?"

Ja. (Ich habe ... gesehen.)
Nein. (Noch nicht)
(Ich fand ihn) spannend!

2a Worum handelt es sich?
Es handelt sich um ...

Es handelt sich um einen kleinen Jungen, der seinen Wunsch erfüllt bekommt. Er wird plötzlich groß, und seine Familie kennt ihn nicht mehr.
Er muß eine Stelle suchen, um Geld zu verdienen. Er arbeitet in einer Spielzeugfabrik. Er testet die Spielzeuge und wird sehr reich. Der Film spielt in Amerika. Es hat Spaß gemacht.

a b c d e f g h i

Kannst du dir weitere Beispiele überlegen?

der Wunsch = *wish*
erfüllt = *fulfilled*
plötzlich = *suddenly*
kennen = *to know*
um ... zu = *in order to*
verdienen = *to earn*

Es handelt sich um	einen Mann/einen Jungen/einen Hund, der ... ▲
	eine Frau/eine Familie, die ... ▲
	ein Mädchen/ein Kind/ein Monster, das ... ▲

Er/Sie/Es: bleibt; befreundet sich; erfindet; fährt; jagt; liebt; macht; möchte; muß; reitet; rettet; spielt; sucht; tötet; verliert; versucht; wohnt ...

Der Film spielt in (Amerika/New York/Kanada/Afrika usw.)

Der Hauptdarsteller ist ...

2b Wählt drei Filme aus eurer Liste aus. Wovon handeln sie?
Bildet drei Sätze über jeden Film.

3 Steckbrief Tom Cruise

Name: Thomas Cruise Mapother IV

Geburtsdatum: 3. Juli 1962

Geburtsort: Syracuse, New York

Haarfarbe: Kastanienbraun

Augenfarbe: Blaugrau

Familie: 3 Schwestern

Seine Eltern ließen sich scheiden, als er 12 Jahre alt war. Der Vater ist an Krebs gestorben, seine Mutter, Mary Lee, zog die 4 Kinder alleine groß. Mit 18 Jahren ging er nach New York und arbeitete tagsüber und besuchte abends eine Schauspielschule. Er spielte unter anderem in den Filmen:

Endlose Liebe, Die Outsider, Lockere Geschäfte, Legende, Top Gun, Die Farbe des Geldes, Cocktail, Rain Man, Tage des Donners, Die Firma, Interview mit einem Vampir

Seit 1986 hat er seinen eigenen Stern auf dem „Hollywood Walk of Fame".

3a Was weißt du über Tom Cruise? Falsch oder richtig? (Oder weißt du das nicht?)

a Er ist Sportler.
b Er ist in Washington geboren.
c Sein Geburtstag ist im Sommer.
d Er hat blonde Haare und blaugraue Augen.

e Er ist sehr gutaussehend!
f Er spielt in vielen Filmen mit.
g Er ist auch Sänger.
h Er hat drei Brüder.

3b Mach einen Steckbrief:
„Mein Lieblingsschauspieler/Meine Lieblingsschauspielerin".

Zu Hause

Wähl einen Film aus. Wovon handelt er?
Kannst du den Film empfehlen?
Schreib eine Kritik für deine Schülerzeitung!

43d

4 ▶ Hobbyseite

Hobby Kino ⭐1

Jeden zweiten Mittwochnachmittag treffen wir uns in der Aula um 14.30 Uhr. Wir sehen einen Film an, und danach diskutieren wir über den Film. Wir lernen auch Tips, um später selbst einen Film zu machen. Mein Lieblingsfilm ist: The Big Blue, ein Abenteuerfilm.

Es handelt sich um zwei Taucher, die ein Duell austragen. Jeder will zeigen, daß er länger unter Wasser bleiben kann als der andere. Atemberaubende Szenen und fantastische Aufnahmen am Mittelmeer. Hauptdarsteller: Jean-Marc Barr und Rosanna Arquette.

Michael

MEIN HOBBY IST ANGELN

Am Wochenende gehe ich mit meinem Vater angeln. Ich habe eine eigene Angelrute und wir fangen am liebsten Forellen.

Christof

⭐2

Die Forelle

Ich gehe gern reiten ⭐3

Ich gehe dreimal in der Woche nach der Schule reiten. Der Reiterhof ist etwa drei Kilometer von zu Hause entfernt, und ich fahre mit dem Rad dorthin. Auf dem Reiterhof helfe ich mit den Pferden, ich mache die Ställe sauber und helfe beim Trainieren. Ich gehe auch reiten und mache einen Kurs, so daß ich auch später auf einem Reiterhof arbeiten kann. Mein Lieblingspferd heißt Prinz.

Kathrin

1a Lesen und Verstehen.

1b Wie heißen sie? Was machen sie? 〰️ Woher weißt du das? Schreib es auf. Vergleich deine Antwort mit einem Nachbarn bzw. einer Nachbarin.

〰️ weil er/sie … macht

Mein Hobby ist American Football ✦4

Die Spekulation um den nächsten Superbowl ist ausgebrochen. Football-Fieber ist IN. Diesmal gehören zehn Mannschaften zum Favoritenkreis. Der Wert der zehn Elite-Klubs beträgt allein 1,3 Milliarden Dollar. Hier sind meine Favoriten: San Francisco 49'ers, Los Angeles Raiders, Washington Redskins, Dallas Cowboys und Buffalo Bills.

Thomas

Helm

gepolsterte

Was man zum Footballspielen trägt

Ich spiele gern Schach ✦5

Wir spielen jeden Montag und Donnerstag in der Schule. Wir treffen uns um 14.30 Uhr und Herr Brandt zeigt uns neue Spiele. Wir machen Wettbewerbe und spielen gegen Mannschaften von anderen Schulen.

Jasmin

Bauer

Läufer

Turm

König

Königin

Springer

Mein Hobby ist Seiden- und Glasmalerei. ✦6

Ich male auf Seide und auf Glas. Ich bemale Halstücher und Gläser und mache Geschenke für meine Verwandten und Freunde.

Silke

Glas

Halstuch

1c Hör zu! Was sind ihre Hobbys? Was machen sie? (1–6)

2 Was ist dein Hobby? Schreib einen Bericht für deine Schülerzeitung.

Zwischentest 6

I can …

- name five different articles that I will include in my magazine
- name three environmental issues and
- suggest three things to do to improve them
- name four categories of film and say which I like the best
- name a film I have seen and say what it was like
- and ask someone if they have seen a film and
- how they found it
- say three sentences about one of my hobbies

Wiederhole Zwischentest 5!

Stell dein eigenes Horoskop zusammen!

Du wirst	einen neuen Freund/eine neue Freundin	kennenlernen
	ein Geschenk; Geld; gute/schlechte Noten; überraschende Neuigkeiten	bekommen
	viel Glück; viel Spaß; einen Unfall	haben
Zu Hause In der Schule	hast du (keinen) Streit/keine Probleme mit den Eltern/Geschwistern geht alles wie geplant/schief/lernst Du neue Freunde kennen.	

Wassermann
21.01–19.02

Löwe
23.07–23.08

Alles, was Du unternimmst, wird ein voller Erfolg sein.

Eine Sache, die Dir am Herzen liegt, sollte jetzt happy enden.

Fische
20.02–20.03

Du wirst überrascht sein, was das Leben/die Liebe/die Schule alles zu bieten hat.

Jungfrau
24.08–23.09

Intelligenz and Charme werden jetzt Deine besten Eigenschaften.

Widder
21.03–20.04

Waage
24.09–23.10

Achte auf Deine Gesundheit, sie könnte Dir Probleme machen.

Mißverständnisse, schlechte Laune oder Eifersucht kannst Du jetzt vergessen.

Skorpion
24.10–22.11

Stier
21.04–20.05

Sei nicht so launisch, nimm mehr Rücksicht auf andere!

Stell ein Horoskop für deine Schülerzeitung zusammen.

Schütze
23.11–21.12

Zwillinge
21.05–21.06

Krebs
22.06–22.07

Steinbock
22.12–20.01

Schülertips

Nützliche Ausreden!

Ich habe meine Hausaufgaben nicht gemacht:

Ich habe mein Heft/mein Buch/mein Etui vergessen.
Mein Hund hat mein Buch gefressen.
Das Baby hat über mein Buch gebrochen.
Jemand hat mein Buch/meine Tasche/meine Stifte geklaut.
Ich habe meine Schultasche im Bus liegenlassen.
Ich war krank.

Ich komme zu spät:

Ich habe den Bus verpaßt.
Der Bus hatte Verspätung.
Ich habe verschlafen.
Ich fühlte mich krank.
Ich mußte zum Arzt/zum Zahnarzt.
* Ich mußte meine Geschwister zur Schule bringen.
Das Auto sprang nicht an.
Meine Mutter/Großmutter war krank. Ich mußte ihr helfen.

* Gilt nicht, wenn der Lehrer weiß, daß du ein Einzelkind bist!

Schummeltips

Man schreibt Vokabeln, Daten usw. auf ein Stück Papier und klebt es mit Tesafilm an die Stuhllehne des Vordermannes oder auf die Innenseite des Etuis. Man kann einen Spickzettel auf der unteren Seite eines Lineals, eines Rechners oder eines Etuis kleben. Man kann ihn auch mit Tesafilm in die Klamotten kleben. Man kann einen Spickzettel in der Schultasche verstecken und wenn man einen Radiergummi, Lineal oder Rechner in der Tasche sucht, kann man dabei heimlich den Spickzettel studieren.

Hast du Schülertips für deine Leser?

Zum Jux

Johannes fragt den Klassenlehrer:
„Herr Schwarz, kann man für etwas bestraft werden, was man nicht gemacht hat?"
„Natürlich nicht. Das wäre ungerecht."
„Gut! Ich habe nämlich meine Hausaufgaben nicht gemacht."

„Silke," ruft die Mutter, „was machst du denn so lange vor der Tür?"
„Ich schaue mir den Mond an!"
„So, dann sag dem Mond gefälligst, er soll sein Mofa nehmen und nach Hause fahren."

Zwei Polizisten finden einen Toten vor dem Gymnasium. Fragt der eine:
„Wie schreibt man Gymnasium?"
„Weiß ich auch nicht, tragen wir ihn lieber zur Post."

Zwei Polizisten auf der Autobahn sehen ein englisches Auto, das auf der linken Seite fährt.
„Hast du das gesehen? Er fährt auf der falschen Seite. Fahren wir ihm nach."
„Das hat keinen Zweck, es war auch kein Fahrer drin."

„Ich möchte mal Ihren Führerschein sehen," sagt der junge Polizist höflich zur schönen Autofahrerin.
„Na, so was, ein Polizist so neu, er hat noch nicht einmal einen Führerschein gesehen!" wundert sich die Dame.

Interview mit Herrn Block

Woher kommen Sie?

- *Ich bin in Berlin geboren.*

Wie lange sind Sie schon an dieser Schule?

- *Fünf Jahre.*

Was fällt Ihnen zu unserer Schule ein?

- *Spontan fällt mir ein: ständiger Lärm!*

Was fällt Ihnen zu unseren Schülern ein?

- *Ich mag die Schüler meistens, mit ein paar Ausnahmen!*

Was sind Ihre Hobbys?

- *Musik, Tennis, und im Winter Skifahren, wenn möglich.*

Welche Kleidung bevorzugen Sie?

- *Lässige Kleidung, so wie ich heute anhabe ... Jeans und ein Sweatshirt.*

Wollten Sie schon immer Lehrer/Lehrerin werden?

- *Nein, als ich jung war, wollte ich Tierarzt werden.*

Halten Sie viel von Umweltschutz, und was tun Sie dafür?

- *Ich halte sehr viel davon und tue, was ich kann. Ich bringe Glas, Altpapier und so weiter zu den Containern und spare soviel Wasser und Energie wie möglich.*

Was ist ihr Lieblingsgericht?

- *Schnitzel, Pommes und Salat.*

Was für ein Auto haben Sie?

- *Einen Volkswagen.*

Sind Sie verheiratet?

- *Ja, seit vier Jahren.*

Haben Sie Kinder?

- *Ja, einen zweijährigen Sohn.*

Wie heißt er?

- *Johannes.*

Welche Farbe bevorzugen Sie?

- *Blau.*

Wenn Sie viel Geld hätten, was würden Sie machen?

- *Ich würde mir ein Segelboot kaufen und eine Weltreise unternehmen.*

Vielen Dank.

- *Nichts zu danken. Gern geschehen!*

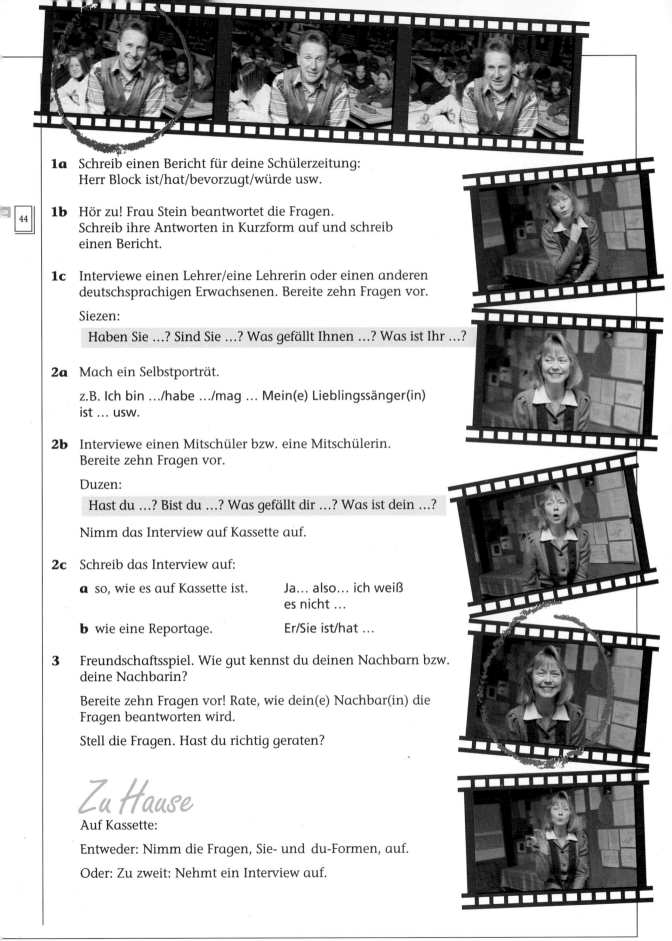

1a Schreib einen Bericht für deine Schülerzeitung:
Herr Block ist/hat/bevorzugt/würde usw.

1b Hör zu! Frau Stein beantwortet die Fragen.
Schreib ihre Antworten in Kurzform auf und schreib
einen Bericht.

1c Interviewe einen Lehrer/eine Lehrerin oder einen anderen
deutschsprachigen Erwachsenen. Bereite zehn Fragen vor.

Siezen:

> Haben Sie ...? Sind Sie ...? Was gefällt Ihnen ...? Was ist Ihr ...?

2a Mach ein Selbstporträt.

z.B. Ich bin .../habe .../mag ... Mein(e) Lieblingssänger(in)
ist ... usw.

2b Interviewe einen Mitschüler bzw. eine Mitschülerin.
Bereite zehn Fragen vor.

Duzen:

> Hast du ...? Bist du ...? Was gefällt dir ...? Was ist dein ...?

Nimm das Interview auf Kassette auf.

2c Schreib das Interview auf:

a so, wie es auf Kassette ist.　　Ja... also... ich weiß
　　　　　　　　　　　　　　　　es nicht ...

b wie eine Reportage.　　　　　Er/Sie ist/hat ...

3 Freundschaftsspiel. Wie gut kennst du deinen Nachbarn bzw.
deine Nachbarin?

Bereite zehn Fragen vor! Rate, wie dein(e) Nachbar(in) die
Fragen beantworten wird.

Stell die Fragen. Hast du richtig geraten?

Zu Hause

Auf Kassette:

Entweder: Nimm die Fragen, Sie- und du-Formen, auf.

Oder: Zu zweit: Nehmt ein Interview auf.

105

1a Erzähl die Geschichte:

z.B. **Jans** Familie ist umgezogen. Er geht in eine neue Schule. Er hat keine ....

1b Füll die Sprechblasen aus!

1c Schreib eine Bildergeschichte ...

Wähl die Darsteller aus! Die Clique

Roman 15   Sabine 16   Christian 17   Nikolas 15   Bettina 14   Julia 15

Der/Die Neue

Sven 18   Nathalie 15   Patrick 14   Carmen 16

und die Probleme ...

Liebe

Sie lieben sich.
Er/Sie liebt sie/ihn.

Ob er mich wirklich liebt?

Mißverständnis

Er/Sie versteht nicht.

Wir treffen uns um halb vier ...

Clique

Er/Sie will zur Clique gehören.

Wie komme ich an sie heran?

Krankheit/Unfall

Er/Sie liegt im Krankenhaus.

Wie lange muß ich noch hier bleiben?

Zu Hause

Zeichne fünf Bilder ab, und füge Sprechblasen hinzu!

Nach der Kultur freuten wir uns darauf, mit dem Trekking im Jugal-Himal-Gebiet zu beginnen. Vom Hotel fuhren wir mit einem Bus zum Ausgangspunkt unserer Tour. Busfahren in Nepal ist schon ein Abenteuer für sich!

das Gebiet = region
schon = already
das Abenteuer = adventure

Wir mußten zum Glück nur unseren Tagesrucksack mit Fotoausrüstung und Trinkflasche tragen. Die Sherpas trugen die Zelte und unser Gepäck, und die Küchenmannschaft ging vor uns her, und, wenn wir abends nach langem Auf- und Absteigen endlich an unserem Lagerplatz ankamen, empfing man uns mit Tee und Keksen. Nach Tagesetappen von ca. 20km waren wir sehr dankbar, wenn auch die Zelte schon aufgebaut waren.

zum Glück = luckily
die Ausrüstung = equipment
die Mannschaft = team
auf und ab = up and down
das Lager = camp
empfangen = to receive

Ganz toll fand ich es, wenn wir auf einem höher gelegenen Bergrücken unser Lager aufschlugen, von wo man weit in die Täler hinabschauen konnte. Ein Aufstieg von über 1 000 Höhenmetern kann bei starker Sonne recht mühsam sein, aber die Blicke auf die hohen Himalajagipfeln und über die weiten Täler waren fantastisch. Leider gingen auch die Trekkingtage viel zu schnell vorbei, und wir mußten nach der Stille der Berge uns wieder an den Trubel Katmandus gewöhnen.

das Tal = valley
hinab = down
schauen = to look
mühsam = tiring
leider = unfortunately
vorbei = past
gewöhnen = to get used to

Bevor wir nach Hause zurückfuhren, erwarteten uns noch zwei Abenteuer. Erstens machten wir Rafting auf dem Trisuli-River. Alles in allem war es ein nasses Abenteuer. Anfangs war der Fluß zwar noch relativ ruhig, aber schon an den ersten Stromschnellen tanzten wir mit dem Boot auf dem kalten Wasser. Schließlich ging sogar einer von uns über Bord. Wir mußten eine Rettungsleine werfen, um ihn wieder ins Schlauchboot zu ziehen.

erwarten = to await
naß = wet
anfangs = at the beginning
zwar = indeed
Stromschnellen = rapids
schließlich = finally
sogar = even
die Rettungsleine = life-line
das Schlauchboot = inflatable

Und zweitens besuchten wir den Chitwan Nationalpark. Wir besichtigten eine Krokodilzuchtstation mitten im Urwald und fuhren im Einbaum auf dem Dschungelfluß. Das tollste war der Elefantenritt durch den Dschungel. Plötzlich standen wir einem riesigen Nashorn gegenüber; so etwas kommt nicht alle Tage vor! Christoph Nieswand

die Zucht = breeding
der Urwald = prehistoric forest
der Einbaum = dug-out canoe
der Dschungel = jungle
plötzlich = suddenly
riesig = giant/enormous
vorkommen = to happen

1a Lesen und Verstehen.

1b Beschrifte die Bilder!

1c Falsch oder richtig?

1 Beim Trekking mußten sie viel Gepäck tragen.

2 Sie übernachteten in Zelten.

3 Sie mußten die Zelte selbst aufbauen.

4 Jeden Tag fuhren sie ungefähr 20 km mit dem Bus.

5 Am besten fand er das Rafting.

6 Er hat eine Elefantenzuchtstation besucht.

7 Sie fuhren im Schlauchboot auf dem Dschungelfluß.

8 Er hat ein Nashorn im Dschungel gesehen.

1d Verbessere die falschen Sätze.

9 ► *Lernzielkontrolle*

I can ...

1	name five different articles that I will include in my magazine:	Ich werde ein Horoskop, ein Interview mit einem Lehrer, einen Artikel über Sport, eine Kritik von einem Film/Buch, und Nachrichten in meiner Zeitung haben.
2	name three environmental issues	Die Müllberge wachsen ... die Abgase stinken ... die Wälder sterben ...
	and suggest three things to do to improve them:	Man kann Glas recyceln, Energie sparen, Abgase reduzieren
3	name four categories of film	Horrorfilm, Krimi, Komödie, Kriegsfilm, Abenteuer, Liebesgeschichte, Science Fiction, Zeichentrickfilm
	and say which I like the best:	Ich sehe am liebsten Zeichentrickfilme und Krimis.
4	name a film I have seen and say what it was like	Ich habe ... gesehen. Er war spannend.
	and ask someone if they have seen a film	Hast du/Haben Sie Drakula/den letzten Film von ... gesehen?
	and how they found it:	Wie war er?
5	say three sentences about one of my hobbies:	Mein Hobby ist Schwimmen. Ich mache Brust und Delphin. Ich trainiere ... und mache Wettkämpfe ...
6	interview someone:	Siezen: Haben Sie ... ? Sind Sie ... ? Was gefällt Ihnen ... ? Was ist Ihr ... ? Duzen: Hast du ... ? Bist du ... ? Was gefällt dir ... ? Was ist dein ... ?

Wiederholung

Eine Geschichte erzählen.

Grammatik ▪ Grammar summary

1 Nouns (Nomen)

(To find out if a word is a noun try saying 'the' in front of it in English.)

1a In German all nouns are written with a capital letter ...

der Hund   mein Bruder   das Haus

1b ... and they are all either masculine, feminine or neuter. For more on this see Word Patterns 2.

Maskulinum	**Femininum**	**Neutrum**	**Plural**
der Tisch	die Tür	das Haus	die Tische; die Türen; die Häuser

1c The plural form is indicated in the vocabulary in brackets ...

der Tisch(e) = die Tische   das Fenster(-) = die Fenster   das Buch(¨er) = die Bücher

... and it is usually indicated in dictionaries like this:

Kind nt -(e)s, **-er**   Katze f -, **-n**

Tisch m -(e)s, **-e**   Fenster nt -s, **-**

For more on plurals see Word Patterns 3.

2 The definite article (definiter Artikel)

For more about the definite article see Word Patterns 4.

2a The word for 'the' (der, die, das, die) depends on whether the noun is masculine, feminine, neuter or plural.

2b The masculine form (der) changes to den when the noun is the object of the sentence.

In English the object comes after the verb:

The young man   drives   the red car.   He   has   the green bag and the red book.
Der junge Mann   fährt   **den** roten Wagen.   Er   hat   **die** grüne Tasche und **das** rote Buch.

For more about subject and object see Word Patterns 7.

2c The definite article also changes when it is used in other cases.
For more about cases see Word Patterns 3–9.

	Mask.	Fem.	Neutr.	Pl.
Nominativ (subject)	der	die	das	die
Akkusativ (object)	**den**	die	das	die
Genitiv (genitive)	de**s**	der	de**s**	der
Dativ (dative)	de**m**	der	de**m**	den

(Tips to help remember the genitive endings: two tubes of toothpaste SR SR
and the dative endings: de**M** de**r** de**M** d**en** = Mr Men!)

3 The indefinite article and possessives
(indefiniter Artikel und Possessivartikel)

3a The words for 'a', 'not a', 'my', 'your', 'his', 'her' etc. depends on whether the noun they go with is masculine, feminine, neuter or plural:

	Maskulinum	**Femininum**	**Neutrum**	**Plural**
a	ein	ein**e**	ein	
'not a'	kein	kein**e**	kein	kein**e**
my	mein	mein**e**	mein	mein**e**
your	dein	dein**e**	dein	dein**e**
his	sein	sein**e**	sein	sein**e**
her	ihr	ihr**e**	ihr	ihr**e**
our	unser	unser**e**	unser	unser**e**
your (*plur.*)	euer	eur**e**	euer	eur**e**
their	ihr	ihr**e**	ihr	ihr**e**
Your (*pol.*)	Ihr	Ihr**e**	Ihr	Ihr**e**

3b These words, like the definite article, also change in the other cases.

	Maskulinum	**Femininum**	**Neutrum**	**Plural**
Nom.	mein	mein**e**	mein	mein**e**
Akk.	mein**en**	mein**e**	mein	mein**e**
Gen.	mein**es**	mein**er**	mein**es**	mein**er**
Dat.	mein**em**	mein**er**	mein**em**	mein**en**

4 Adjectives (Adjektive)

4a Adjectives also change to agree with the noun IF they come in front of it.

Mask.: Mein Pulli ist grün. Ich habe *einen grün**en** Pulli.
Fem.: Ihre Hose ist blau. Sie hat eine blau**e** Hose.
Neutr.: Sein Hemd ist weiß. Er hat ein weiß**es** Hemd.
Pl.: Ihre Schuhe sind schwarz. Sie hat schwarz**e** Schuhe.
* object- Akkusativ See **2b** and **2c** above.

4b Adjectives also change in the different cases, according to whether they are preceded by:

Group 1 – nothing:
   red shoes; cold milk; fresh bread

*Group 2 – the definite article ('the') – see **2** above*:
   the new car; the green dress; the striped trousers

*Group 3 – the indefinite article ('a') and possessives ('my' etc.) – see **3a** above*:
   a white shirt; my new coat; his fierce dog

Group 1 These have the same endings as the definite article (see **2c**) except in the genitive singular.

	Mask.	**Fem.**	**Neutr.**	**Pl.**
Nom.	kalt**er** Fisch	warm**e** Milch	frisch**es** Brot	blond**e** Haare
Akk.	kalt**en**	warm**e**	frisch**es**	blond**e**
Gen.	kalt**en**	warm**er**	frisch**en**	blond**er**
Dat.	kalt**em**	warm**er**	frisch**em**	blond**en**

Group 2 These end in -e (above the line) or -en (below the line).

	Mask.	Fem.	Neutr.	Pl.
Nom.	der blau**e** Pulli	die schwarz**e** Hose	das rot**e** Hemd	die neu**en** Schuhe
Akk.	den blau**en**	die schwarz**e**	das rot**e**	die neu**en**
Gen.	des blau**en**	der schwarz**en**	des rot**en**	der neu**en**
Dat.	dem blau**en**	der schwarz**en**	dem rot**en**	den neu**en**

Group 3 These mostly end in -en (below the line).

	Mask.	Fem.	Neutr.	Pl.
Nom.	mein blau**er** Pulli	meine schwarz**e** Hose	mein rot**es** Hemd	meine neu**en** Schuhe
Akk.	meinen blau**en**	meine schwarz**e**	mein rot**es**	meine neu**en**
Gen.	meines blau**en**	meiner schwarz**en**	meines rot**en**	meiner neu**en**
Dat.	meinem blau**en**	meiner schwarz**en**	meinem rot**en**	meinen neu**en**

5 Pronouns (Pronomen)

Pronouns are words which 'stand for' a noun. They also change for the different cases. For more practice on du and Sie see Word Patterns 1.

5a Pronouns as subject

		singular		**plural**	
1st person	I	ich	we	wir
2nd person	you	du	you	ihr
3rd person	he	er	they	sie
	she	sie	You (*Polite form*)	Sie
	it	es		

5b Pronouns as object

direct object				**indirect object**			
me	mich	us	uns	to me	mir	to us	uns
you	dich	you	euch	to you	dir	to you	euch
him	ihn	them	sie	to him	ihm	to them	ihnen
her	sie	You	Sie	to her	ihr	to You	Ihnen (*as in*: Wie geht es Ihnen?)
it	es						

6 Prepositions (Präpositionen)

For more about prepositions see Word Patterns 7 and 8.

6a Some of these words tell you the position of things: 'on', 'in', 'under' etc. They can be called 'trigger' words as they can 'trigger' a change in the word that follows them:

e.g. mit – with

der Bus	but	mit dem Bus	das Rad	mit dem Rad
mein Freund	but	mit meinem Freund	meine Freundin	mit meiner Freundin

Mit 'triggers' the dative case. Different prepositions take different cases.

6b Prepositions which take the dative:

aus – from/out of; außer – except; bei – at; gegenüber – opposite; mit – with; nach – after/to; seit – since; von – from; zu – to

For more practice with the dative, see Word Patterns 2 and 9.

6c Prepositions which 'trigger' the accusative. These will only change masculine words:

(e.g. mein Vater becomes meinen Vater after für: Mein Vater hat Geburtstag. Das ist ein Geschenk für meinen Vater.)

bis – until; durch – through; entlang – along; für – for; gegen – against; ohne – without; um – around

6d Prepositions which can take both the accusative and the dative:

an – at/on; auf – on; hinter – behind; in – in; neben – near; über – over; unter – under; vor – in front of; zwischen – between.

For more on these see Word Patterns 4, 5, 6 and 9.

6e Prepositions which take the genitive:

statt – instead of; trotz – in spite of; während – during; wegen – because of.

6f Contractions (Abkürzungen)

Sometimes the preposition and the article combine to form one word:

zu + dem = zum   zu + der = zur
in + dem = im   in + das = ins
an + dem = am   an + das = ans
bei + dem = beim

7 Verbs (Verben)

A verb is a doing word.

7a The infinitive. The basic form of the verb is called the infinitive and ends in -en.

machen – to do or make   trinken – to drink
wohnen – to live   fahren – to go/drive

7b Regular verbs are often called weak verbs (schwache Verben) …

Infinitiv	Präsens	Präteritum	Perfekt
machen	macht	machte	habe gemacht

7c … and irregular verbs (** in the vocabulary) are often called strong verbs (starke Verben).

Infinitiv	Präsens	Präteritum	Perfekt
gehen	geht	ging	bin gegangen
sehen	sieht	sah	habe gesehen

7d Separable verbs (trennbare Verben)

Some verbs are made up of a prefix and a verb. The prefix is detached in the present and imperfect tenses (see **8**) and moves to the end of the sentence. These verbs are shown in the vocabulary with a slash: an/fangen, rad/fahren.

Infinitiv	Präsens	Präteritum	Perfekt
anfangen	ich fange an	ich fing an	ich habe angefangen
radfahren	ich fahre Rad	ich fuhr Rad	ich bin radgefahren

7e Reflexive verbs (reflexive Verben)

Infinitiv	Präsens	Präteritum	Perfekt
sich waschen	ich wasche mich	ich wusch mich	ich habe mich gewaschen
sich duschen	ich dusche mich	ich duschte mich	ich habe mich geduscht

7f Modal verbs (Modalverben)

These are verbs which need another verb to go with them:

dürfen – ich darf gehen – I may go, I am allowed to go
können – ich kann fahren – I can drive
müssen – ich muß arbeiten – I have to work
sollen – ich soll schlafen – I ought to sleep
wollen – ich will nach Hause gehen – I want to go home

7g The auxiliary verbs (Hilfsverben): haben – to have and sein – to be

haben	sein
ich habe – I have	ich bin – I am
du hast – you have	du bist – you are
er/sie/es hat – he/she/it has	er/sie/es ist – he/she/it is
wir haben – we have	wir sind – we are
ihr habt – you (*plur*) have	ihr seid – you (*plur*) are
sie haben – they have	sie sind – they are
Sie haben – You have (*polite form*)	Sie sind – You are (*polite form*)

8 The tenses

8a The present tense (Präsens)

This is used to talk about something that is happening now or is just about to happen or that usually happens: 'I am doing or making' or 'I do or make' etc. For more practice with the Duform and Sieform see Word Patterns 1.

The Ichform ends in -e:	Ich mache …	Ich trinke …	I
The Duform ends in -st:	Was machst du?	Was trinkst du?	you
The Erform ends in -t	Er macht seine Hausaufgaben.	Sie trinkt Fanta.	he/she/it
The Wirform ends in -en	Wir machen …	Wir trinken …	we
The Ihrform ends in -t	Ihr macht …	Ihr trinkt …	you
The Sieform ends in -en	Sie machen …	Sie trinken …	they/You

8b Regular verbs (regelmäßige Verben) The pattern of a regular (weak) verb:

spielen – to play

singular	plural
ich spiele – I play	wir spielen – we play
du spielst – you play	ihr spielt – you play
er/sie/es spielt – he/she/it plays	sie spielen – they play
	Sie spielen – You play

8c Irregular verbs (unregelmäßige Verben) The pattern of an irregular (strong) verb

Some verbs take an Umlaut in the Du- and Erforms …

singular	plural
ich trage – I wear	wir tragen – we wear
du trägst – you wear	ihr tragt – you wear
er/sie/es trägt – he/she/it wears	sie tragen – they wear
	Sie tragen – You wear

... and some change the stem in the Du- and Erforms:

singular	plural
ich esse – I eat	wir essen – we eat
du ißt – you eat	ihr eßt – you eat
er/sie/es ißt – he/she/it eats	sie essen – they eat
	Sie essen – You eat

These verbs are indicated ** in the vocabulary and listed in **9**.

8d The perfect tense (Perfekt)

This is used to talk about something that has happened in the past. To form the perfect tense you use an auxiliary verb (see **7g**) as verb 1 and the past participle as verb 2:

V1		V2		V1	V2	
Ich	habe	Fußball	gespielt	I	have	played	football
Ich	bin	in die Stadt	gegangen	I	have	gone	into town

In English we only use the one auxiliary verb 'have'. In German they use either 'haben' or 'sein'. Irregular past participles and the auxiliary verb are indicated in **9**.
NB. Note the word order. Verb 2 (the past participle) always goes to the end of the sentence.

To form the past participle of a regular verb:

| find the stem of the verb by removing the en | mach/en |
| add ge ... t | ge mach t |

The past participles of irregular or strong verbs are given in the verb list but most make their past participle by adding ge- at the beginning and -en at the end of the stem e.g. seh/en

| add ge ... en | ge seh en |

8e The imperfect tense (Präteritum)

This is used mainly in written German, to tell a story or recount an incident that happened in the past, or referring to something that used to happen regularly.

regular verb		irregular verb	
ich mach/te	wir mach/ten	ich ging	wir ging/en
du mach/test	ihr mach/tet	du ging/st	ihr ging/t
er mach/te	sie mach/ten	er ging	sie ging/en
	Sie mach/ten		Sie ging/en

For more on the imperfect tense see Word Patterns 10.

8f The future (Futur)

The future tense is used to talk about something that is going to happen.

ich werde gehen	wir werden gehen
du wirst gehen	ihr werdet gehen
er wird gehen	sie werden gehen
	Sie werden gehen

Verbs with the same stem follow the same pattern:
fangen, fängt, fing, hat gefangen: anfangen, fängt an, fing an, hat angefangen

Infinitive		Present er/sie/es	Imperfect ich/er/sie/es	Perfect er/sie/es
beginnen	to begin	beginnt	begann	hat begonnen
bleiben	to stay	bleibt	blieb	ist geblieben
brechen	to break	bricht	brach	hat gebrochen
brennen	to burn	brennt	brannte	hat gebrannt
bringen	to bring/take	bringt	brachte	hat gebracht
denken	to think	denkt	dachte	hat gedacht
dürfen	to be allowed to	darf	durfte	hat gedurft
empfehlen	to recommend	empfiehlt	empfahl	hat empfohlen
essen	to eat	ißt	aß	hat gegessen
fahren	to go/travel	fährt	fuhr	ist gefahren
fallen	to fall	fällt	fiel	ist gefallen
fangen	to catch	fängt	fing	hat gefangen
finden	to find	findet	fand	hat gefunden
fliegen	to fly	fliegt	flog	ist geflogen
frieren	to freeze	friert	fror	ist gefroren
geben	to give	gibt	gab	hat gegeben
gefallen	to like*	gefällt	gefiel	hat gefallen
gehen	to go/walk	geht	ging	ist gegangen
gelingen	to succeed*	gelingt	gelang	ist gelungen
gewinnen	to win	gewinnt	gewann	hat gewonnen
haben	to have	hat	hatte	hat gehabt
halten	to hold	hält	hielt	hat gehalten
helfen	to help	hilft	half	hat geholfen
heißen	to be called	heißt	hieß	hat geheißen
kennen	to know (someone)	kennt	kannte	hat gekannt
kommen	to come	kommt	kam	ist gekommen
können	to be able to	kann	konnte	hat gekonnt
laden	to load	lädt	lud	hat geladen
lassen	to let, leave	läßt	ließ	hat gelassen
laufen	to walk/run	läuft	lief	ist gelaufen
leiden	to suffer, tolerate	leidet	litt	hat gelitten
lesen	to read	liest	las	hat gelesen
mögen	to like	mag	mochte	hat gemocht
müssen	to have to	muß	mußte	hat gemußt
nehmen	to take	nimmt	nahm	hat genommen
reiten	to ride (horse)	reitet	ritt	ist geritten
rufen	to call	ruft	rief	hat gerufen
schlafen	to sleep	schläft	schlief	hat geschlafen
schließen	to close	schließt	schloß	hat geschlossen
schneiden	to cut	schneidet	schnitt	hat geschnitten
schreiben	to write	schreibt	schrieb	hat geschrieben
schwimmen	to swim	schwimmt	schwamm	ist geschwommen
sehen	to see	sieht	sah	hat gesehen
sein	to be	ist	war	ist gewesen
singen	to sing	singt	sang	hat gesungen
sitzen	to sit	sitzt	saß	hat gesessen

Infinitive		Present er/sie/es	Imperfect ich/er/sie/es	Perfect er/sie/es
sprechen	to speak	spricht	sprach	hat gesprochen
stehen	to stand	steht	stand	hat gestanden
sterben	to die	stirbt	starb	ist gestorben
stinken	to stink	stinkt	stank	hat gestunken
tragen	to carry/wear	trägt	trug	hat getragen
treffen	to meet/hit	trifft	traf	hat getroffen
treiben	to play (sport)	treibt	trieb	hat getrieben
trinken	to drink	trinkt	trank	hat getrunken
vergessen	to forget	vergißt	vergaß	hat vergessen
verlieren	to lose	verliert	verlor	hat verloren
vermeiden	to avoid	vermeidet	vermied	hat vermieden
wachsen	to grow	wächst	wuchs	ist gewachsen
waschen	to wash	wäscht	wusch	hat gewaschen
werden	to become	wird	wurde	ist geworden
werfen	to throw	wirft	warf	hat geworfen
wissen	to know	weiß	wußte	hat gewußt
wollen	to want to	will	wollte	hat gewollt
ziehen	to pull	zieht	zog	hat gezogen

*es gefällt mir – I like it; es gelingt mir – I succeed

10 Word order (Satzbildung)

10a In German the verb is usually the second unit in the sentence.

Ich **spiele** gern Tischtennis.
Morgen vormittag **fahre** ich nach Deutschland.

10b In questions which can have a 'yes' or 'no' answer, the verb is the first unit.

Spielst du gern Tischtennis?
Fährst du nach Deutschland?

10c If there are two parts of the verb the auxiliary will come in the second place (or first, in questions) and the other parts of the verb will go to the end of the sentence.

Ich **habe** Tischtennis **gespielt**.
Hast du Tischtennis **gespielt**?
Letzte Woche **bin** ich nach Deutschland **gefahren**.

For more on word order see Word Patterns 11.

10d Wann? Wie? Wohin?

Wann? Wie? Wo?	Expressions of	TIME MANNER PLACE	usually come	first second last	in a German sentence

Wann?	Verb 1	Wie?	Wo(hin)?	Verb 2
Am Montag	fahre ich	mit dem Zug	nach Deutschland	
Letztes Jahr	bin ich	mit Freunden	ans Mittelmeer	gefahren

For more on expressions of time, manner and place see Word Patterns 12.

119

Wortschatz ▪ Deutsch–Englisch

Letters in brackets after a noun tell you how to form the plural. For example: das Abgas/die Abgase
* indicates that the word is a verb. Verbs are given in the infinitive. ** indicates an irregular verb.
See the list on pp. 118–19. / indicates a separable verb (see p.115).

A

* ab/decken – to clear (the table)
die Abfahrt(en) – exit (motorway)
der Abfalleimer(-) – rubbish bin
das Abgas(e) – exhaust fumes
** ab/geben – to hand in
* ab/haken – to tick off
* ab/liefern – to return
das Abonnement(s) – subscription
* ab/schalten – to switch off
* ab/stellen – to park
die Ahnung(en) – idea
aktuell – of topical interest
das Alter – age
die Alufolie – aluminium foil
*sich amüsieren – to enjoy oneself
die Änderung – change
** an/fangen – to begin
der Anfängerkurs(e) – beginners' course
die Angelrute(n) – fishing rod
angenehm – pleasant
der Anschlußkurs(e) – follow-on course
die Anschrift(en) – address
anstrengend – strenuous
** an/ziehen – to put on (clothes)
der Apfel(¨) – apple
die Arena (Arenen) – arena
der Architekt(en) – architect (m)
die Architektin(nen) – architect (f)
der Ärger – trouble
ärgern – to annoy
der Arzt(¨e) – doctor (m)
die Ärztin(nen) – doctor (f)
der Aschenbecher(-) – ashtray
atemberaubend – breathtaking
* aufeinander/stapeln – to stack up
* aufeinander/türmen – to pile up
* auf/räumen – to tidy up
** auf/stehen – to get up
* auf/tanken – to fill up
** auf/tragen – put on (make-up)
* auf/wachen – to wake up
der Ausflug(¨e) – outing
ausgedehnt – lengthy

** aus/kommen mit – to get on with
die Ausnahme(n) – exception
* aus/räumen – to unload
die Ausrüstung(en) – equipment
** aus/schlafen – to sleep enough
die Aussicht(en) – view
das Auto(s) – car
die Autobahn(en) – motorway
die Autofähre(n) – car ferry
der Autoschlosser(-) – car mechanic (m)
die Autoschlosserin(nen) – car mechanic (f)
die Autowerkstatt(¨en) – garage

B

der Bäcker(-) – baker (m)
die Bäckerin(nen) – baker (f)
der Badeanzug(¨e) – swimming costume
die Badehose(n) – swimming trunks
die Bademütze(n) – swimming cap
der Bahnhof(¨e) – station
der Balkon(s) – balcony
die Bandnudeln (pl) – ribbon noodles
der Bankangestellte(n) – bank clerk (m)
die Bankangestellte(n) – bank clerk (f)
der Bauarbeiter(-) – building worker (m)
die Bauarbeiterin(nen) – building labourer (f)
der Bauernhof(¨e) – farm
die Baumwolle – cotton
die Baustelle(n) – building site
der Bayer(n) – Bavarian (m)
die Bayerin(nen) – Bavarian (f)
Bayern – Bavaria
* beabsichtigen – to plan
die Bedienung – service
** bekommen – to get
die Belohnung – reward
* beobachten – to notice
der Berg(e) – mountain

die Bergsteigerschule(n) – mountaineering school
der Bericht (e) – report
der Beruf(e) – occupation/ profession
berühmt – famous
beschneit – snow-covered
** besitzen – to have
besondere – special
besonders – especially
* bestellen – to order
* bestrafen – to punish
* besuchen – to visit
der Beton – concrete
das Bett(en) – bed
die Bettwäsche – bed linen
das Bettzeug – bedding
* bezahlen – to pay
die Bibliothek(en) – library
der Bibliothekar(e) – librarian (m)
die Bibliothekarin(nen) – librarian (f)
der Binnensee(n) – lake
die Blase(n) – blister
blöd – stupid
der Blumenkohl – cauliflower
der Blumentopf(¨e) – flower pot, pot plant
die Bluse(n) – blouse
null Bock haben auf – not to fancy
die Bohne(n) – bean
die Bootsfahrt(en) – boat trip
das Brettspiel(e) – board game
der Briefträger(-) – postman
die Briefträgerin(nen) – postwoman
die Brille – (pair of) glasses
** bringen – to take
die Broschüre(n) – brochure
das Brot – bread
das Brötchen(-) – roll
der Bruder(¨) – brother
die Büchse(n) – can/tin
* buchstabieren – to spell
* bügeln – to iron
das Büro(s) – office

C

die Clique(n) – group of friends
das Computerspiel (e) – computer game

D

der D-Zug(¨e) – fast train
das Dachgeschoß – attic
dankbar – grateful
decken – to lay (the table)
Deutsche Bundesbahn – German Railways
der/die Deutsche(n) – German
deutschsprachig – German-speaking
das Ding(e) – thing
das Doppelzimmer(-) – double room
das Dorf(¨er) – village
draußen – outside
die Düne(n) – sand dune
die Dusche(n) – shower

E

das Ei(er) – egg
die Eifersucht – jealousy
der Eilzug(¨e) – stopping train
einfach – simple/simply
die Einfahrt(en) – entrance
das Einfamilienhaus(¨er) – house for one family
eintönig – plain (colour)
die Eingangstür(en) – entrance door
die Einkaufsstraße (n) – shopping street
* ein/räumen – to load
* ein/richten – to furnish
der Einzelpreis(e) – price for one
die Einzelstunde(n) – single lesson
das Einzelzimmer(-) – single room
der Eisbecher(-) – ice cream sundae
das Eisbein(e) – knuckle of pork
das Eiweiß – protein
der Elektriker(-) – electrician (m)
die Elektrikerin(nen) – electrician (f)
die Eltern (pl) – parents
die Empfangsdame(n) – receptionist (f)
der Empfangsherr(en) – receptionist (m)
endlich – finally
eng – narrow
entfernt – away (distance)
das Erdgeschoß – ground floor
der Erfolg(e) – success
das Ergebnis(se) – result
das Erlebnis(se) – experience
die Ermäßigung(en) – reduction
erreichen – to reach
das Essen – food
europäisch – European
das Exemplar (e) – copy

F

die Fabrik(en) – factory
** fangen – to catch
die Farbe(n) – colour
der Farbstift(e) – coloured pen(cil)
* faulenzen – to laze around
das Federetui – pencil case
* fehlen – to be missing
die Ferien (pl) – holidays
das Feriendorf(¨er) – holiday village
der Ferienpark(s) – holiday park
das Fernsehen – TV
das Feuer(-) – fire
das Fieber – temperature
der Fisch(e) – fish
die Flasche(n) – bottle
das Fleisch – meat
das Flugzeug(e) – aeroplane
der Fluß (Flüsse) – river
* folgen – to follow
folgendes – the following
die Forelle(n) – trout
der Fotoapparat(e) – camera
die Freizeit – free time
die Freizeitmöglichkeiten (pl) – leisure facilities
freundlich – friendly
frisch – fresh
der Friseur(e) – hairdresser (m)
die Friseuse(n) – hairdresser (f)
fröhlich – happy
der Führerschein(e) – driving licence
der Füller(-) – fountain pen
der Fußball – football
der Fußballprofi(s) – football professional
das Fußballtrikot(s) – football shirt
der Fußweg(e) – footpath
das Futter – lining
* füttern – to feed (animals)

G

ganz – whole
der Garten(¨) – garden
der Gärtner(-) – gardener (m)
die Gärtnerin(nen) – gardener (f)
der Gastbenutzer(-) – visitor
das Gasthaus(¨er) – inn
das Gebäck – biscuits/pastries
das Gebäude(-) – building
geboren – born
gebraten – roast, fried
der Geburtsort(e) – place of birth
der Geburtstag(e) – birthday
das Gedicht(e) – poem
**es gefällt mir – I like it
das Gefühl(e) – feeling
gefüttert – lined
der Gegenstand(¨e) – object

* gehören – to belong
das Geld – money
**es gelingt mir – I succeed
die Gemeinschaftshalle – recreation room
das Gemüse(-) – vegetable
genau – exact
geöffnet – open
gerade – straight
das Gericht(e) – dish (food)
das Geschäft(e) – shop
die Geschäftsfrau(en) – businesswoman
der Geschäftsmann(¨er) – businessman
gestreift – stripy
die Gesundheit – health
die Getränkedose(n) – can of drink
das Getreide – grain/cereal
das Gewässer(-) – stretch of water
das Gewitter(-) – thunderstorm
gewünscht – wished for
glatt – straight
die Gleitschirmschule(n) – paragliding school
der Gletscher(-) – glacier
das Glück – luck
die Grippe – flu
die Größe(n) – size
die Großeltern (pl) – grandparents
die Großstadt(¨e) – city
der Grundriß – ground plan
die Grundschule(n) – primary school
* gucken – to watch
der Gummistiefel (-) – wellington boot

H

der Hafen (¨) – port
der Haifisch (e) – shark
die Halbinsel(n) – peninsula
der Hallenplatz(¨e) – indoor court
der Hals(¨e) – neck
das Halstuch(¨er) – scarf
handgestrickt – hand-knitted
der Hauptdarsteller(-) – principal actor
die Hauptstadt(¨e) – capital (city)
das Haus(¨er) – house
die Hausaufgaben (pl) – homework
die Hausfrau(en) – housewife
der Hausschuh(e) – slipper
die Heimat(en) – home/habitat
heimlich – secret(ly)
** heißen – to be called
das Hemd (en) – shirt
die Herbergseltern (pl) – youth hostel wardens

das Herz(en) – heart
** hinterlassen – to leave behind
der Hocker(-) – stool
höflich – polite(ly)
holländisch – Dutch
das Holz – wood
der Honig – honey
das Hotel(s) – hotel
der Hund(e) – dog
der Hundekorb(¨e) – dog basket
Hunger haben – to be hungry

I

die Imbißstube(n) – café
das Impfbuch(¨er) – vaccination book
das Industriegebiet(e) – industrial area
der Ingenieur(e) – engineer (m)
die Ingenieurin(nen) – engineer (f)
der Inhalt – contents
die Innenseite(n) – inside
die Insel(n) – island
irgendwas – anything

J

die Jacke(n) – jacket
der Joghurt – yoghurt
die Jugendherberge(n) – youth hostel

K

das Karohemd(en) – check shirt
die Karotte(n) – carrot
die Karte(n) – card/map
der Käse – cheese
kastanienbraun – chestnut
der Kayak(s) – kayak (canoe)
der Keller – cellar
der Kellner(-) – waiter
die Kellnerin(nen) – waitress
kennen/lernen – to get to know, to meet
das Kennzeichen(-) – characteristic
der Kernkraftunfall(¨e) – nuclear accident
der Kindergarten(¨) – nursery
die Klamotten (pl) – clothes
klassisch – classic
* kleben – to stick
das Kleid(er) – dress
der Kleiderschrank(¨e) – wardrobe
der Klempner(-) – plumber (m)
die Klempnerin(nen) – plumber (f)
das Klima – climate
die Klinik(en) – clinic
der Knoblauch – garlic
der Koch(¨e) – cook (m)
* kochen – to cook

die Köchin(nen) – cook (f)
die Kochmöglichkeiten – cooking facilities
koffeinfrei – decaffeinated
das Kohlenhydrat (e) – carbohydrate
** können – to be able to
der Kopf(¨e) – head
das Krankenhaus(¨er) – hospital
der Krankenpfleger(-) – nurse (m)
die Krankenpflegerin(nen) – nurse (f)
der Krankenschein(-) – medical insurance certificate
die Krankenschwester(n) – nurse (f)
die Kräuterbutter – herb butter
der Krebs – Cancer
der Kulturbeutel(-) – sponge bag
der Künstler(-) – artist
der Kurs(e) – course
kurz – short
die kurze Hose – shorts
die Küste(n) – coast

L

das Labor(s) – laboratory
der Laborant(en) – laboratory assistant (m)
die Laborantin(nen) – laboratory assistant (f)
das Lammkotelett(s) – lamb cutlet
das Land(¨er) – country
die Landschaft – countryside
der Landwirt(e) – farmer (m)
die Landwirtin(nen) – farmer (f)
langweilig – boring
der Lärm – noise
es läßt sich wundern – it's amazing
die Laune(n) – mood
launisch – moody
das Lebensjahr – year of one's life
der Lehrer(-) – teacher (m)
die Lehrerin(nen) – teacher (f)
** leiden – to suffer, tolerate
leider – unfortunately
die Leute (pl) – people
der Liebesbrief(e) – love letter
das Lieblingsfach(¨er) – favourite subject
** liegen/lassen – to leave around
die Liegewiese(n) – lawn (for sunbathing)
lilafarben – lilac
die Linse(n) – lentil
lockig – curly
lustig – funny

M

der Magen(¨) – stomach
* mähen – to mow
die Mahlzeit(en) – mealtime
* malen – to paint
der Mann(¨er) – man/husband
die Mannschaft(en) – team
der Mechaniker(-) – mechanic (m)
die Mechanikerin(nen) – mechanic (f)
das Meer(e) – sea
das Mehrbettzimmer(-) – family room
das Mehrfamilienhaus(¨er) – house divided into flats
mehrmals – several times
die Mehrwertsteuer – value added tax
die Meinung(en) – opinion
der Metzger(-) – butcher (m)
die Metzgerin(nen) – butcher (f)
die Milch – milk
das Mißverständnis(se) – misunderstanding
** mit/kommen – to come too
die Mittagspause(n) – lunch break
die Mitte – middle
* mitteilen – to inform
das Mittelmeer – Mediterranean
das Möbelstück(e) – piece of furniture
die Mode – fashion
das Mofa(s) – moped
der Monat(e) – month
der Mond(e) – moon
der Müll – rubbish
der Müllberg(e) – mountain of rubbish
die Mütze(n) – cap

N

nachmittags – in the afternoons
der Nachname(n) – surname
die Nachrichten (pl) – news
der Nachteil(e) – disadvantage
der Nachttisch(e) – bedside table
naß – wet
die Nelsonsäule – Nelson's Column
* nerven – to annoy
die Neuigkeit(en) – piece of news
die Nichte(n) – niece
die Note(n) – mark (school)
nützlich – useful

O

das Obst – fruit
die Oma(s) – grandmother
der Opa(s) – grandfather

ortsüblich – usual here
Österreich – Austria
der Österreicher(-) – Austrian (m)
die Österreicherin(nen) – Austrian (f)
das Ozonloch – hole in the ozone layer
die Ozonschicht – ozone layer

P

* packen – to pack
das Palmenblatt(¨er) – palm leaf
der Papierkorb(¨e) – wastepaper basket
die Parkmöglichkeit – parking available
die Pause(n) – break
der Personalausweis(e) – identity card
die Pferdepflege – horse care
das Pflanzenöl – vegetable oil
der Plastikbecher(-) – plastic cup
der Plastikbeutel(-) – plastic bag
der Platz(¨e) – seat (in restaurant), court, parking space
die Polizeiwache(n) – police station
der Polizist(en) – policeman
die Polizistin(nen) – policewoman
das Polohemd(en) – polo shirt
die Post – post office
der Preis(e) – price
Preisänderung vorbehalten – prices subject to change
die Preiselbeere(n) – cranberry
die Privatstunde(n) – private lesson
der Programmierer(-) – programmer (m)
die Programmiererin(nen) – programmer (f)
der Pulli(s) – jumper

R

das Rad(¨er) – bike
** rad/fahren – to ride a bike
der Rand(¨er) – edge
der Rasen(-) – lawn
rebellisch – rebellious
der Rechtsanwalt(¨e) – lawyer (m)
die Rechtsanwältin(nen) – lawyer (f)
* reduzieren – to reduce
das Regal(e) – shelf
regelmäßig – regularly
der Regenfall(¨e) – rainfall
* reichen – to reach
das Reihenhaus(¨er) – terraced house
rein – pure
der Reis – rice

der Reisebus(se) – coach
** reiten – to ride (a horse)
der Reitstiefel(-) – riding boot
das Restaurant(s) – restaurant
der Rock(¨e) – skirt
die Rohkost – raw fruit and vegetables
der Rohstoff(e) – raw material
rosarot – pink
die Rücksicht(en) – consideration
* rudern – to row
ruhig – quietly
die Rundtour(en) – round trip

S

die Sache(n) – thing
der Salat(e) – salad
der Salon(s) – salon
die Salzkartoffeln (pl) – boiled potatoes
sauber – clean
das Sauerkraut – sauerkraut (pickled cabbage)
der saure Regen – acid rain
das Schach – chess
schade – what a pity
der Schal(s) – scarf
scheußlich – dreadful
** schief/gehen – to go wrong
auf Schienen – on rails
das Schiff(e) – ship
das Schild(er) – sign
der Schinken – ham
der Schlafanzug(¨e) – pyjamas
** schlafen – to sleep
schlecht – bad
der Schlips(e) – tie
das Schlittschuhlaufen – skating
* schmecken – to taste
der Schmerz(en) – pain
* schmusen – to cuddle
schmutzig – dirty
der Schneeball(¨e) – snowball
die Schneegarantie – guarantee of snow
**sich schneiden – to cut oneself
schön – beautiful
** schreiben – to write
die Schublade(n) – drawer
der Schuh(e) – shoe
die Schule(n) – school
der Schülerausweis(e) – student card
der Schulhof(¨e) – school playground
die Schummeltips (pl) – cheating tips
* schützen – to protect
der Schwarzwald – Black Forest
das Schwein(e) – pig
das Schweinefilet(s) – fillet of pork

der Schweizer(-) – Swiss man
die Schweizerin(nen) – Swiss woman
schwer – difficult
die Schwester(n) – sister
die Schwimmbrille – goggles
** schwimmen – to swim
die Schwimmflosse(n) – flipper
seekrank – seasick
die Seele(n) – soul
das Segelboot(e) – sailing boat
das Segeln – sailing
die Sehenswürdigkeiten (pl) – sights
die Seide – silk
die Sekretärin(nen) – secretary
der Sellerie – celeriac, celery
die Sendung(en) – programme (TV)
der Sessel(-) – armchair
das Skilaufen – skiing
die Sommersprosse (n) – freckle
die Sonnenbrille – pair of sunglasses
*sich sonnen – to sun oneself
der Sonnenschein – sunshine
sonnig – sunny
spannend – exciting
Spaß machen – to be fun
* spazieren/führen – to take for a walk
die Speisekarte(n) – menu
der Spickzettel(-) – crib sheet
die Spielzeiten (pl) – playing times
die Spitze(n) – top/lace
die Spitzenwerte (pl) – maximum temperatures
der Splitter(-) – splinter
das Springen – diving/jumping
die Spülmaschine(n) – dishwasher
die Stadt(¨e) – town
die Stadtbesichtigung – looking round the town
der Stammbaum(¨e) – family tree
ständig – constant
stark – strong
die Stehlampe(n) – standard lamp
** sterben – to die
der Stiefel(-) – boot
Stier – Taurus
die Stimmung(en) – atmosphere/mood
** stinken – to stink
der Stock (¨e) – storey
* stören – to disturb
die Strahlungsgefahr – danger of radiation
der Strand(¨e) – beach
die Straßenbahn(en) – tram
das Streichholz(¨er) – match

der Streit(e) – argument
streßig – stressful
der Strom(¨e) – river
der Strumpf(¨e) – sock, stocking
der Stubenarrest – confinement
 (at home)
das Stück(e) – piece
der Student(en) – student (m)
die Studentin(nen) – student (f)
die Stuhllehne(n) – back of a chair
die Stunde(n) – lesson
süß – sweet
der Süßwassersee – fresh water
 lake

T

der Tag(e) – day
das Tagesgericht(e) – dish of the
 day
tagsüber – during the day
täglich – daily
tanzen – to dance
die Tasche(n) – bag
das Taschengeld – pocket money
die Taschenlampe(n) – torch
der Taschenrechner(n) –
 calculator
die Tasse(n) – cup
das Tauchen – diving
der Taucher(-) – diver
der Tausch – exchange
der Teilnehmer(-) – participant
der Telefonist(en) – telephonist (m)
die Telefonistin(nen) – telephonist
 (f)
der Teller(-) – plate
der Teppichboden(¨) – carpet
der Tesafilm™ – Sellotape™
teuer – expensive
die Themse – Thames
das Tier(e) – animal
der Tierarzt(¨e) – vet (m)
die Tierärztin(nen) – vet (f)
der Tiroler(-) – Tyrolean (m)
die Tirolerin – Tyrolean (f)
der Tisch(e) – table
der Tischler(-) – carpenter (m)
die Tischlerin(nen) – carpenter (f)
die Tochter(¨) – daughter
die Toilettenspülung – flushing
 the toilet
der Tote(n) – dead person
die Touristenstadt(¨e) – town
 popular with tourists
die Tracht (en) – traditional
 costume
** tragen – to wear
der Träger(-) – strap
das Träumen – dreaming
das Traumhaus(ër) – dream house
** treffen – to meet

** treiben – to play (sport)
** trinken – to drink
die Tropen (pl) – tropics
die Tulpe(n) – tulip
die Turnhalle(n) – gymnasium
die Turnhose(n) – PE shorts
der Turnschuh (e) – trainer

U

überall – everywhere
* übernachten – to stay/sleep
überraschend – surprising
der Umkleideraum(¨e) – changing
 room
* um/schalten – change
 channels
die Umwelt – environment
unendlich – endless
ungarisch – Hungarian
ungerecht – unjust
die Universitätsstadt(¨e) –
 university town
unsympatisch – unpleasant
die Unterkunft – accommodation
** unternehmen – to undertake
unternehmungslustig – active
der Unterricht – teaching
die Unterwäsche – underwear

V

verbraucht – used
** verbringen – to spend (time)
vergiftet – poisoned
*sich vergrößern – to increase
verheiratet – married
der Verkäufer(-) – salesman
die Verkäuferin(nen) –
 saleswoman
der Verkehr – traffic
* verkehren – to run (ferry)
** verladen – to load
der Verleih – loan/renting
** verlieren – to lose
** vermeiden – to avoid
* verpassen – to miss
** verschlafen – to oversleep
aus Versehen – by mistake
die Verspätung(en) – delay
verwaschen – faded
verwöhnt – spoilt
das Vollkornbrot – wholemeal
 bread
der Vordermann(¨er) – person in
 front
der Vorhang(¨e) – curtain
der Vorname(n) – first name
der Vorort(e) – suburb
die Vorspeise(n) – starter
der Vorteil(e) – advantage
die Vorwahl(en) – area code
der Vulkan(e) – volcano

W

die Waage – Libra
** wachsen – to grow
das Wachsfigurkabinett –
 waxworks
der Wagen(-) – car
* wählen – to choose
die Wand (¨e) – wall
* wandern – to hike
die Wanderung (en) – walk/hike
die Wäsche – washing
das Waschzeug – washing things
wasserdicht – waterproof
Wassermann – Aquarius
** weg/werfen – to throw away
* weinen – to cry
wellig – wavy
die Welt(en) – world
weniger – less
** werden – to become
die Werkstatt(¨en) – garage,
 workshop
die Weste(n) – waistcoat
der Wettbewerb(e) – competition
das Wetter – weather
die Wettervorhersage(n) –
 weather forecast
wichtig – important
das Wildschwein(e) – wild boar
die Windmühle(n) – windmill
der Witz(e) – joke
woanders – somewhere else
der Wohnblock(¨e) – block of flats
* wohnen – to live
die Wohnung(en) – flat
der Wohnwagen(-) – caravan
die Wolle – wool
die Wundsalbe(n) – antiseptic
 ointment
die Wüste(n) – desert

Z

der Zahn(¨e) – tooth
der Zahntechniker(-) – dental
 technician (m)
die Zahntechnikerin(nen) –
 dental technician (f)
die Zeitung(en) – newspaper
zeitweise – at times
das Zelt(e) – tent
die Zeltplatzgebühren (pl) –
 campsite fees
das Zentrum (Zentren) – centre
das Zimmer(-) – room
der Zucker – sugar
der Zug(¨e) – train
zusammen – together
der Zweck(e) – point
das Zweibettzimmer(-) – twin room
das Zweifamilienhaus(¨er) –
 house for two families

Aufforderungen ▪ Instructions

Bereite ... vor	Prepare ...
Beschrifte ...	Label ...
Erklär ...	Explain ...
Erzähl die Geschichte.	Tell the story.
Finde fünf Unterschiede.	Find five differences.
Finde jemanden, der derselben Meinung ist wie du.	Find someone who agrees with you.
Füll ... aus.	Fill ... in.
Geht sie gern in die Schule?	Does she like going to school?
Habt ihr das richtig gemacht?	Did you do it right?
Habt ihr den gleichen Geschmack oder nicht?	Do you have the same taste or not?
Habt ihr richtig geraten?	Did you guess right?
Halte einen Vortrag.	Give a talk.
Hast du das gewußt?	Did you know that?
Hast du Schülertips für deine Leser?	Do you have any school tips for your readers?
Hör zu!	Listen.
In welche Schule geht/welchem Jahrgang ist ...	In which school/year is ...
In welche Zimmer gehören die Möbelstücke?	In which rooms do the pieces of furniture belong?
Interviewe ...	Interview ...
Kannst du deine Zimmer einrichten?	Can you furnish your rooms?
Kannst du dir/Könnt ihr euch weitere Beispiele ausdenken/überlegen?	Can you think of other examples?
Kennst du ein Wort nicht? Schau mal im Wörterbuch nach!	Is there a word you don't know? Look it up in the dictionary.
Lest die Zahlen abwechselnd.	Read the figures alternately.
Mach das Buch zu!	Close the book.
Mach dir ein eigenes Horoskop.	Make up your own horoscope.
Mach ein Selbstporträt.	Do a self-portrait.
Mach eine Umfrage.	Do a survey.
Mach einen Steckbrief.	Make a personal profile.
Nenne drei ...	Name three ...
Ordne die Wörter den Bildern zu.	Match the words to the pictures.
Ordnet sie alle sechs.	Put all six in order.
Rat geben. Was sollten sie machen?	Give your advice. What should they do?
Schreib den Text ab und vervollständige ihn.	Write out the text and fill in the gaps.
Schreib die Tabelle ab, und trag die Wörter richtig ein.	Write out the table and put the words in the right place.
Schreib einen Bericht.	Write a report.
Schreib in Stichworten auf, was du von einem Urlaub erwartest.	Write notes about what you expect from a holiday.
Schreib noch drei Gegenstände zu jedem Zimmer auf.	Write down another three objects for each room.
Spielt ... in Gruppen.	Play ... in groups.
Stell die Fragen an ...	Ask ... the questions.
Stell dir vor ...	Imagine ...

Stellt euch gegenseitig die Fragen.	Ask each other the questions.
Verbessere die falschen Sätze.	Correct the wrong sentences.
Vergleiche … mit …	Compare … with …
Wähl … aus und bilde Sätze.	Choose … and make up sentences.
Wann sind sie geboren?	When were you born?
Wann würdest du so 'was tragen?	When would you wear something like this?
Was bestellen sie?	What do they order?
Was braucht man noch?	What is still needed?
Was braucht man zum Tennisspielen?	What do you need to play tennis?
Was bringt die Woche für … ?	What does the week hold for … ?
Was essen wir zu den verschiedenen Mahlzeiten?	What do we eat at the different mealtimes?
Was findest du am besten?	What do you like best?
Was findest du gut an ihnen?	What do you like about them?
Was für Filme sind das?	What type of films are these?
Was gefällt dir?	What do you like?
Was haben sie in der letzten Woche gespielt oder gemacht?	What have they played or done in the last week?
Was hättest du gern in deinem Traumhaus?	What would you like in your dream house?
Was kann man machen?	What can you do?
Was machen sie gern?	What do they like doing?
Was meinst du/meint ihr?	What do you think?
Was müssen sie mitnehmen?	What do they have to take with them?
Was sind die Vor- und Nachteile?	What are the advantages and disadvantages?
Was sollten sie machen?	What should they do?
Was tragen sie?	What are they wearing?
Was trinkst du lieber?	What do you prefer drinking?
Was weißt du über …?	What do you know about …?
Was würdet ihr gerne lernen?	What would you like to learn?
Welche Obstsorten schmecken dir am besten?	Which types of fruit do you like best?
Welche sind am schlimmsten?	Which are the worst?
Welche Sportarten kann man in eurer Schule machen?	What sports can you do in your school?
Welches Land wird hier erwähnt?	Which country is being mentioned here?
Wem gehören die Schuhe?	Who do the shoes belong to?
Wer ist dafür und wer ist dagegen?	Who is for and who is against?
Wer ist es?	Who is it?
Wer schreibt?	Who is writing?
Wer wohnt in welchem Haus?	Who lives in which house?
Wie heißen sie?	What are they called?
Wie helfen sie im Haushalt?	How do they help at home?
Wie hießen die Fragen?	What were the questions?
Wie ist ihre genaue Adresse?	What is their exact address?
Wie sieht es bei dir/euch aus?	What is it like with you?
Wie sind sie mit … verwandt?	How are they related to …?
Wie viele Sportarten können wir nennen?	How many sports can we name?
Wie waren die Ferien?	How were the holidays?
Wo befinden sie sich (auf dem Globus)?	Where are they (on the globe)?
Wo gehören die Gegenstände hin?	Where do the objects belong?